EL MEJOR DE MIS MAESTROS

r

relatos

Wayne W. Dyer
Lynn Lauber

El mejor
de mis maestros

S

URANO

Argentina — Chile — Colombia — España
Estados Unidos — México — Perú — Uruguay — Venezuela

Título original: *My Greatest Teacher*
Editor original: Hay House, California
Traducción: Núria Martí Pérez

1.ª edición Febrero 2013

© 2012 *by* Wayne W. Dyer
Originally published in 2012 by Hay House
All Rights Reserved
© 2012 de la traducción *by* Núria Martí Pérez
© 2012 *by* Ediciones Urano,S. A.
    Aribau, 142, pral. – 08036 Barcelona
    www.edicionesurano.com

ISBN: 978-84-7953-839-2
E-ISBN: 978-84-9944-472-7

Depósito legal: B. 32.660-2012

Fotocomposición: Moelmo, S. C. P.
Impreso por Rodesa, S. A. — Polígono Industrial San Miguel
Parcelas E7-E8 — 31132 Villatuerta (Navarra)

Impreso en España — *Printed in Spain*

«El perdón es la fragancia que despide la violeta en el talón que la aplasta.»

MARK TWAIN

I

La Capilla de las Campanas era un edificio de ladrillos beis de una planta que parecía haber sido un banco en el pasado. Ryan Kilgore, al rodear la funeraria con su coche advirtió que incluso tenía una ventanilla tapiada.

Fingió buscar un espacio para aparcar, pero en realidad estaba retrasándose adrede. Llevaba horas conduciendo, avivado por una adrenalina terrible. Pero ahora que había llegado, sentía un nudo en la garganta y hasta dudaba de si debía entrar en la funeraria. Lo que en el fondo quería era encontrar un banco y disfrutar de la calidez del sol de finales de verano, pero iba con el tiempo justo.

A los cuarenta y cinco años, Ryan era un hombre delgado y lucía un afeitado apurado. Se había rapado el pelo rubio encanecido y sus ojos celestes desprendían un aire melancólico. Todo el mundo le estaba diciendo siempre: «¡Sonríe, no hay para tanto!» Pero, según Ryan, esas personas no tenían ni idea de cómo se sentía.

Hacía ya una hora que se encontraba en esta pequeña población de Michigan, una zona residencial de Detroit, buscando una cafetería después de pasar la noche en un motel de mala muerte. McDonald's era el único local que estaba abierto, un lugar al que Logan, su hijo pequeño, que sabía exactamente cuántos gramos de grasa contenía un Big Mac, tenía prohibido ir. Pero Ryan, ávido de tomar cafeína y sal, se unió a la cola de coches que avanzaban a paso de tortuga hacia la ventanilla del McDonald's, y al tocarle el turno pidió en un acto de desesperación un café en vaso grande, un McMuffin de huevo y patatas fritas con cebolla. Lo engulló todo dentro del coche, con el motor en marcha, manchándose los pantalones de grasa. Después de esconder la bolsa y el vaso del café debajo del asiento, como si fueran droga, regresó al aparcamiento de la funeraria; era la tercera vez que lo visitaba aquel día.

Tras aparcar, permaneció en el coche con las ventanillas bajadas, contemplando a los ancianos de luto encaminándose hacia la funeraria apoyados en bastones o andadores. Los hombres vestían trajes mal cortados que apestaban a madera de cedro y naftalina. Y las mujeres, de caderas anchas y rostros blancuzcos, iban con gafas oscuras, vestidos floreados y chaquetas que les quedaban pequeñas, o con unos trajes enormes de chaqueta y pantalón con botones metálicos, la clase de ropa que Ryan llevaba de pequeño cuando iba a la iglesia.

Antes de salir del coche, se sacó del bolsillo la fotografía descolorida que había estado llevando consigo durante tanto tiempo. A lo largo de cuarenta y tantos años su principal ocupación había sido intentar dar con el rostro de este hombre, el padre que lo había abandonado al nacer.

Era un cálido día de mediados de agosto, todo estaba teñido con un resplandor dorado. Ryan, mirándose en el espejo retrovisor del coche, intentó cambiar de expresión, como hacía siempre antes de dar clase en la universidad, adoptando un aire de autoridad y poder. Metió la barbilla hacia dentro y arqueó las cejas. Pero de nada le sirvió. Al mirarse en el espejo del aparcamiento descubrió que tenía incluso peor aspecto que de costumbre, se veía confundido y exhausto.

«Los objetos están más cerca de lo que parecen», decía la advertencia en el espejo, pero en lugar de «están más cerca», leyó «son más *viejos*». Últimamente siempre se equivocaba al leer los carteles y los titulares. ¿Qué le estaba pasando?

En el asiento del pasajero había varias cajas abiertas llenas de libros con su nombre escrito en negrita con letras grandes en la cubierta y su foto en la contraportada.

DR. RYAN KILGORE, UNIVERSIDAD DE SAINT JOHN
La Tierra amorfa: cómo estamos destruyendo
la diversidad de culturas de nuestro planeta

Otro libro se titulaba *Datos sobre los rituales tribales de los mayorunas del Brasil.*

Estos libros constituían el tema principal al que se había dedicado durante los veintitantos años que llevaba enseñando en la Universidad de Saint John de Queens, en Nueva York. Durante este tiempo había pasado de ser un profesor adjunto con un escritorio en el rincón del despacho de otro colega a tener una plaza fija, un despacho propio y una foto favorecedora en la página web de la universidad. Enseñaba sociología, ecología y ciencia medioambiental, y tenía un doctorado en antropología cultural. Lo mejor de ser profesor era el generoso presupuesto destinado a la investigación que le permitía viajar a sus anchas. También le gustaba el prestigio que conllevaba usar el título de «doctor» a la menor oportunidad y le encantaba que la gente lo tomara por médico, un error que nunca corregía.

Por el momento sólo habían leído sus libros un pequeño grupo de lectores formado sobre todo por sus alumnos, ya que en sus clases eran lecturas obligatorias. Tal vez no fuera lo más correcto, pero lo había hecho de todos modos por el gusto de ver, al entrar en el aula, a veinte estudiantes sentados con un libro en el que aparecía en la portada su nombre en letras grandes.

Al parecer nadie más quería estudiar la superioridad de los poco conocidos grupos tribales. Pero era la clase de tema que a él le apasionaba: cómo la civilización desaparecería al cabo de poco si los seres humanos no aceptábamos el poder del conocimiento antiguo. Aunque según Sophie, su esposa, no era uno de los temas más cautivadores de conversación. Durante los diez años de matrimonio, ella había adquirido la mirada de resignación que él recordaba en sus antiguas novias.

Ryan, pecando de optimista, esperaba que en cuanto publicara sus libros por su cuenta aparecería un editor que se los quitaría de las manos. Al menos eso era lo que creían varios profesores adjuntos de su departamento y él también se había sumado a esta fantasía.

Pero nunca llegaba a suceder. Y ahora tenía dos armarios llenos de libros que habían leído tal vez cincuenta personas. Tenía la vaga idea de que quizá le daría un ejemplar a su padre. Pero ¿para qué? ¿Para que se quedara pasmado y abrumado por el talento del hijo al que había abandonado? ¡Qué patética era esta fantasía! Ryan arrojó una toalla sobre las cajas para taparlas a su vista.

De pronto sonó el móvil y al consultar la pantalla vio que era Sophie. Cuando se había marchado el día anterior, ella estaba planeando la fiesta del noveno cumpleaños de Logan y seguramente le llamaba para quejarse de su «escasa participación». Ignorando la llamada, guardó el móvil en el bolsillo. Ya se ocuparía de ello más tarde, cuando no tuviera tantas cosas que hacer.

Ryan contempló de nuevo la foto de su padre. Cuando se la habían tomado, era un hombre fornido de cincuenta y tantos años; su rostro curtido, como si hubiera pasado mucho tiempo a la intemperie, le confería un cierto atractivo. Estaba plantado junto a un camión, con una mirada agresiva y un sombrero blanco de vaquero. Era Robert Kilgore, el hombre que le había abandonado a él y a su familia.

Corrían muchas historias de adónde se había ido su padre y lo que había estado haciendo durante todos esos años, procedentes de fragmentos y retazos de conversaciones oídas por casualidad y de las innumerables fantasías a las que Ryan y sus hermanos se habían entregado en la infancia.

Una posibilidad era que Robert hubiera cruzado el país de punta a punta trabajando en ferias y festejos; otros rumores decían que había trabajado en granjas ecuestres en el Medio Oeste, en graveras y en plantas de conservas de salmón en la costa del Pacífico. «Seguro que es piloto», le dijo Dave, uno de sus hermanos mayores, en una ocasión. «Seguro que trabaja para TWA o para una de esas grandes compañías aéreas y vuela gratis a cualquier parte del mundo.»

«Yo creo que es un agente de policía —se aventuró a decir Jim, el primogénito—. Seguramente va de paisano y persigue a los traficantes de estupefacientes. Seguro que bajo la chaqueta lleva un revólver enfundado.»

A Ryan todas estas posibilidades le parecían de lo más descabelladas. Le costaba imaginarse a su padre trabajando en cualquier oficio. Pero había ciertos hechos que no cesaba de oír a los que daba crédito: que su padre era un tipo colérico y celoso aficionado a la ginebra. Durante años su madre se había negado a hablar de él, salvo para confirmar que los había abandonado.

Ryan, respirando hondo, salió del coche y se dirigió a la funeraria. En el interior el aire era gélido. El suelo estaba cubierto de alfombras gruesas de color claro y se oía la apagada música de órgano. En las capillas, con nombres como Paz y Serenidad, había pequeños grupitos de personas apiñadas en silencio, de pie o sentadas en sillas plegables. En la mayoría de capillas había pantallas de cine en las que aparecían secuencias de la vida del difunto que se iban repitiendo. Ryan se asomó a una donde iban apareciendo repetidamente en la pantalla, a modo de homenaje silencioso, las fotos del nacimiento, la graduación y la boda de un hombre con un traje gris que yacía en un ataúd, aunque nadie parecía mirarlas.

Pero en la capilla donde reposaba su abuela no había ninguna pantalla. Al entrar en la sala llamada Paz, Ryan vio un tablero con varias fotos polaroid desteñidas clavadas con chinchetas. Se estaban celebrando las exequias y él, agachando la cabeza, intentó pasar desapercibido.

En la parte delantera de la sala, tras un altar con velas parpadeando, un sacerdote estaba hablando en tono solemne de la redención, la fidelidad maternal y la piedad. A Ryan le causó la impresión de que se refería a una anciana a la que él no conocía.

Cogió el recordatorio que le ofreció una empleada con el rostro colorado y una media melena castaña al estilo de los años cincuenta. Llevaba una blusa blanca con volantes y pendientes de aro. La mujer le miró como si supiera quién era. «¡Descansa en paz!», decía el recordatorio, decorado con ilustraciones de lirios y la foto difuminada de una anciana cuyo rostro le impactó.

Anne Mary Kilgore. Era un retrato sacado seguramente en una iglesia. La anciana, con la cara pálida surcada de arrugas, miraba a la cámara con una expresión avinagrada. «Ésta es quien soy», parecía decir la foto. «Te guste o no.» Ryan se sentó de manera brusca en la última fila.

Ahí estaba otra vez, la madre de su padre, a la que no había visto desde hacía más de cuarenta años. La última vez que la vio fue en un *picnic* al que su madre le llevó, al poco tiempo de abandonarlos su padre, como si quisiera demostrarle que tenía una familia. Recordaba a Anne Mary como una mujer amargada y enjuta que distaba mucho de ser la abuela que hubiera deseado tener. Al abrazarla se sintió como si estrechara entre los brazos a un alambre de esos de atar balas de paja.

¿Qué se decía de la vida de Anne Mary Kilgore? No gran cosa, según el recordatorio, salvo la fecha de nacimiento y la de la boda, y los nombres de sus hijos, el segundo de los cuales, Robert, como padre había sido una nulidad y había desaparecido del mapa.

La difunta, expuesta en la parte delantera de la sala, con el rostro ajado visible incluso desde la parte de atrás, yacía en un elaborado ataúd propio de la realeza. Ryan se levantó y se unió a la cola de personas que desfilaban por el pasillo para despedirse de la anciana, sin perderse el menor detalle. La capilla estaba llena de flores que raras veces se veían en la naturaleza, y menos aún combinadas: gladiolos encarnados, claveles con aroma a clavo y lirios que despedían una fragancia dulzona. Ryan, que aún no había digerido el café ni la comida grasienta del desayuno, sintió náuseas.

El ataúd parecía ser el más lujoso de todos los modelos. Forrado de satén, estaba hecho con un material parecido al titanio, como una nave espacial diseñada para propulsar a la abuela Anne al otro mundo.

¿Quién había pagado un ataúd tan caro y por qué lo había hecho si la pobre mujer seguramente no había visto una pieza de satén en toda su vida? Si no le fallaba la memoria, su abuela siempre iba con ropa de andar por casa, delantal y pantuflas.

¿Por qué no le habían comprado un abrigo de piel o flores cuando vivía, mientras podía disfrutar de estas cosas? ¿De qué servía ahora envolverla en satén para toda la eternidad o lo que deparara la muerte?

Ahuyentó estos pensamientos de su cabeza. Sophie siempre le decía que eso era lo que él hacía cuando se enfrentaba a sentimientos profundos: evadirse con razonamientos irónicos e intelectuales.

—Te comportas como los sujetos de tus libros de antropología, como si la cosa no tuviera que ver contigo —le recriminaba su mujer.

—No sé de lo que me estás hablando —replicaba Ryan sin darse por aludido.

—¡Te he pillado otra vez! Te crees superior al resto de los mortales. Crees que puedes etiquetar a todo el mundo y que estás por encima de los demás.

—¡Lo que dices es absurdo! —protestaba Ryan sin lograr convencer a su mujer, hasta que dejó de intentarlo.

Incluso ella se habría sorprendido al descubrir el sentimiento de poca valía de su marido, lo inseguro que se sentía pese a la imagen de pedante que daba. A Ryan le importaba tanto la opinión de los demás que por eso siempre quería tener razón, decir la última palabra.

De pronto se dio cuenta de que la capilla debía de estar llena de primos, sobrinos y tías abuelas suyos. Pero tanto le daba, sólo quería ver una cara entre ellos. Si no podía ver a su padre, no quería ver a nadie más. Salvo a su abuela, que ahora ya se había ido de este mundo, después de ochenta y nueve años de llevar una vida que según él había sido de lo más dura y decepcionante.

Ryan se quedó plantado ante al rostro impávido y las manos juntas de su abuela Anne. La anciana llevaba un vestido azul de seda, una cruz sobre el pecho y pendientes con perlas engarzadas. La parte superior del cuerpo estaba a la vista, pero la inferior la habían cubierto como si estuviera demasiado estropeada —o fuera demasiado delicada— como para exponerla.

La expresión de su abuela se había suavizado con los años, aunque aún parecía enojada, como si alguien hubiera grabado en su cara con un cuchillo la palabra infelicidad.

Pese a sus sentimientos, esta mujer era de su misma sangre, su ADN demostraba que su padre había existido. El maquillador le había recogido el pelo gris y ondulado en un moño alto lleno de laca, y le había pintado descuidadamente los labios de color rosa. Las mejillas se las habían rellenado con alguna sustancia que Ryan no se quería ni imaginar. Alargando la mano, le tocó el brazo por un segundo, pero se arrepintió enseguida de haberlo hecho. Estaba frío y duro como una piedra y tenía la piel helada. ¿Acaso el calor y la sangre no eran sinónimos de vida?

Cerró los ojos. «Hola, abuela», sintió que una antigua parte suya murmuraba, como si esperara que ella le respondiera incorporándose de pronto. Al abrir los ojos su abuela le pareció más infeliz y aterradora que nunca.

Dio media vuelta y se alejó del ataúd escrutando nerviosamente a los presentes mientras se dirigía hacia una corona de rosas amarillas en forma de corazón en la que ponía: «MADRE». Era obvio que su padre debía de haberla enviado.

Tenía la sensación de estar siendo observado por alguien o algo situado ligeramente encima de él, por una especie de cámara de seguridad en lo alto. Era la misma sensación que experimentaba cuando se probaba ropa en un probador. Miró a su alrededor y luego a las vigas del techo de la capilla. Pero no vio a nadie ni nada observándole.

En el primer pasillo de una hilera lateral divisó a un hombre de espaldas con una melena canosa, jugueteando nerviosamente con el recordatorio. Ryan volvió a mirar la foto de su padre. ¿Sería él?

Se acercó para verlo mejor. ¿Qué haría si se encontrara con su padre después de todo ese tiempo? ¿Qué le diría? ¿Le montaría una escena, humillándole por el dolor y el sufrimiento que le había causado? ¿O se echaría a llorar, sin poder hablar ni ocultar su rabia y añoranza?

Pero hoy no llegaría a averiguarlo.

El tipo se volvió y Ryan al ver sus facciones y sus pequeños ojos negros descubrió que, como tantas otras veces, no era su padre.

Siguió escrutando a los presentes mientras la gente empezaba a irse.

Posó sus ojos en una mujer sentada al otro lado del pasillo. Aparentaba unos sesenta años, llevaba el pelo corto escalado y lucía una esbelta figura. Sus ojos cálidos se iluminaron al reconocer a Ryan. Le sonrió ligeramente. Era Dorothy Stouten, la hermana pequeña de su padre. Él, demasiado emocionado como para hablar con nadie, se giró rápidamente y salió de la capilla a paso vivo para dirigirse a donde tenía el coche.

—Ryan, ¿eres tú? ¡Espera! —gritó Dorothy a sus espaldas en el aparcamiento.

Él se paró en seco y se giró.

—Casi no te reconozco —dijo ella.

Pese a su dolor, Ryan se sintió molesto por el comentario. ¿Qué había querido decir? Si él era el que en mejor forma estaba de todos los hombres presentes, cuyas barrigas desbordaban los cinturones blancos y los paquetes de tabaco se les marcaban en los bolsillos.

Durante veinte años había estado yendo al gimnasio de la universidad como si se preparara para algún desastre para el que tuviera que estar en forma. Había creído que así sería inmune a las enfermedades y tendría una salud envidiable. Ni siquiera le había dicho a Sophie la verdad, que pese a todo el ejercicio, en el último chequeo el médico le había dicho que tenía el colesterol por las nubes y un nivel elevado de triglicéridos.

—¿Cómo es posible? —le preguntó sorprendido al médico.

—A veces es hereditario —le respondió, precisamente lo que él no quería oír. El médico no tenía idea de lo ponzoñosas que eran estas palabras para él. Aunque estuviera buscando a su padre, esto no quería decir que deseara tener ni uno solo de sus rasgos.

En realidad todo cuanto había hecho hasta ahora —cada agotador trabajo desempeñado en la etapa estudiantil, cada clase tomada para sacarse el doctorado, cada dólar ahorrado en el plan de jubilación— había sido para hacer lo contrario de lo que su padre había hecho y demostrar que él no era un holgazán ni un irresponsable, sino una persona culta y educada. Ryan se enorgullecía de su carrera, su fidelidad a Sophie, su buena mano para administrar el dinero y la firme, aunque no despótica, educación que le daba a su hijo. Pero tenía otros rasgos que no eran tan admirables. A Sophie le gustaba recordárselos: era impaciente, irritable y desdeñoso. Pero nadie es perfecto. Estaba haciéndolo lo mejor que sabía dadas las cartas que le habían tocado en la vida. ¿No?

Dorothy interrumpió sus pensamientos.

—No teníamos ni idea de que estuvieras aquí, cariño —prosiguió ella—. Más tarde todos pasarán por casa. ¿Por qué no vas tú también a verme?

—Lo siento, tía. Te lo agradezco, pero no puedo. Sólo he venido a despedirme de la abuela.

Ryan podía ir perfectamente a casa de su tía, a decir verdad era lo que debería hacer, ya que había estado conduciendo durante seis horas para llegar a ese pueblo de mala muerte. Pero el comentario de Dorothy acerca de que casi no lo había reconocido le había dejado con el ánimo por los suelos.

—Tu abuela estaría muy orgullosa de ti si supiera que has hecho este largo viaje para verla —dijo Dorothy—. Eso es lo que cuenta.

Las puertas de la capilla se abrieron a la espalda de su tía y alguien salió al exterior. Ryan sintió un ramalazo de ansiedad, pero se tranquilizó al descubrir que era una adolescente.

Tragó saliva.

—No he visto por ninguna parte a mi padre. No ha venido, ¿verdad? —no pudo evitar preguntarle a su tía.

Dorothy le miró con comprensión. Al parecer su hermano también la había hecho sufrir mucho.

—No, él no está aquí. ¿Por eso has venido?

—Creí que al menos tendría la decencia de asistir al funeral de su madre, pero ya veo que me he equivocado.

Dorothy ahogó una risa.

—Seguramente tiene miedo —observó.

—¿Miedo de qué? ¿Qué diablos debería temer?

—Podría temer verte, por ejemplo.

—Si ni siquiera me reconocería —afirmó Ryan.

—O que tenga miedo de ver a tus hermanos —prosiguió Dorothy—. O incluso a tu madre, que aún sería peor.

—De eso sí que debería tener miedo. Mi madre lo metería en la cárcel sin pensárselo.

—A propósito, ¿cómo está?

Ryan titubeó mientras le venían a la cabeza palabras contradictorias. No quería decirle la verdad, que su madre, que se había vuelto a casar, seguía siendo tan infeliz como siempre.

—Está bien. Mejor que cuando intentaba sacarnos adelante sin tener dinero.

—¿Qué habrías hecho si te *hubieras* encontrado a tu padre en el funeral? —preguntó Dorothy.

—No lo sé. Supongo que habría hablado con él.

La mujer miró a su sobrino como si no se creyera una palabra de lo que acababa de decir.

—¿De verdad? ¿Y de qué habríais hablado?

La curiosidad de su tía le estaba sacando de quicio.

—De un montón de cosas, aunque no te lo creas —contestó mirándola fijamente un segundo—. ¿Sabes dónde está?

Su tía sacudió la cabeza rehuyéndole la mirada.

Los dos se quedaron plantados en silencio mientras un río de gente pasaba por su lado; la mayoría eran ancianas llevando ollas cubiertas con papel de aluminio. Ryan se dijo que igual se estaban celebrando tres o cuatro funerales a la vez. El olor a macarrones, queso y pastel de carne que quedó flotando en el aire lo transportó de pronto a una breve, aunque encantadora, etapa de su niñez, y recordó la comida de las celebraciones familiares antes de trasladarse a vivir en un hogar de acogida, antes de que su familia se deshiciera.

—Me alegro de verte, Ryan, aunque no puedas venir a casa —dijo Dorothy—. Como ya sabes, hace años que ningún miembro de la familia tenemos noticias de tu padre. Quizá sea mejor así. Para todos.

26

—Sabes dónde está, pero no quieres decírmelo, ¿verdad? Bien, entiendo —replicó dando media vuelta y abriendo enojado la portezuela del coche.

—¡Espera! ¡No te vayas! —exclamó Dorothy suspirando, como si tomara una decisión en su fuero interno—. La última vez que hablé con él estaba en California.

Ryan se giró sorprendido.

—¿California? ¿En qué parte?

—Acababa de salir de la cárcel y estaba viviendo con una mujer en un pueblo que se llamaba Gurn no sé qué. ¿Guerneville, quizá? Pero de eso ya hace años. Seguramente siete u ocho. ¡Vete a saber dónde estará ahora!

—¿Por qué lo metieron en la cárcel?

—Creo que por agresión con lesiones —respondió su tía rehuyéndole la mirada—. Siempre fue propenso a descargar su ira en las mujeres. Al menos eso es lo que he oído.

Ryan caminó inquieto de un lado a otro, intentando calmarse. La información de Dorothy no le había sorprendido y, sin embargo, sentía un nudo en la garganta.

Lo cierto era que después de todos esos años todavía no podía creer que su padre pudiera vivir sin intentar contactar con él de algún modo. Uno de sus pasatiempos más frecuentes era tratar de averiguar qué le había sucedido a su padre en la niñez que explicara o sugiriera por qué había fracasado en la vida y había abandonado a su familia. ¿Había sido maltratado o sus padres le habían ignorado? Pero nadie se lo podía decir. Ni siquiera Dorothy parecía saberlo.

—Bueno, nuestro padre bebía y mamá vivía en su propio mundo, pero nos cuidaron —le contó su tía al preguntárselo él—. Siempre estaban ahí, aunque no se implicaran demasiado con nosotros. Aparte de esto, no ocurrió nada especial.

—Los otros hijos no os parecéis en nada a él, ¿verdad? —preguntó Ryan.

—Tu padre es el único que ha ido a la cárcel o que se ha divorciado. No se puede decir que seamos las personas más felices de la tierra, pero somos bastante normales.

Si la hermana de su padre no podía darle ninguna pista, ¿quién iba a hacerlo?

—Escucha, siento haber sido tan brusco contigo —se disculpó Ryan—. Sólo esperaba...

—Lo sé —le interrumpió Dorothy alzando la mano—. Pese a todas las cosas horribles que hizo, no olvides que es mi hermano. A mí también me ha hecho mucho daño —añadió tocándole el brazo—. Cuídate, cariño.

—Lo haré.

Ryan entró en el coche y bajó la ventanilla.

—Ha sido un placer verte, tía Dorothy. Espero que la próxima vez sea en circunstancias más felices.

Puso en marcha el coche y se fue rápidamente.

2

Pese a todas las cosas horribles que hizo. Mientras se alejaba a toda pastilla para incorporarse a la carretera, no podía sacarse estas palabras de la cabeza. No sabía a lo que Dorothy se había referido, pero para él su padre había cometido un pecado imperdonable: abandonar a su mujer y a su familia. Era el pecado principal que había desencadenado las otras tragedias: la mala salud de su madre y el haberse visto obligada a enviar a Ryan y a sus hermanos a hogares de acogida por no poder seguir ocupándose de ellos.

Los separaron mandándolos a distintas casas: sus dos hermanos fueron a parar a una y él a otra. Ryan tuvo la mala suerte de acabar en la de los odiosos Losey, un maquinista desempleado y su mujer.

Vivían en una casa con dos dormitorios, al final de una calle sin salida, cerca de las vías del tren. Ryan compartía la habitación con cuatro niños más también en régimen de acogida y dormía en un colchón pequeño y sucio. Y encima la casa era fría en invierno y achicharrante en verano, había ratones y el techo tenía goteras y el ambiente siempre apestaba a pies sucios, moho y aguas residuales.

Le llevó años descubrir que los Losey eran unos vivales que se dedicaban sobre todo a acoger a niños por la paga que recibían cada mes de los servicios sociales.

En público, la señora Losey, «Peg», les abrazaba, les acariciaba y les llamaba «cielo», aunque en realidad lo hacía porque nunca se acordaba de sus nombres.

Pero en privado era otra historia. La nevera estaba llena de botellas de cerveza y en la cocina colgaba de un clavo un cinturón muy usado para cuando se «portaban mal». Como a los Losey les gustaba beber y jugar a cartas, dejaban a los niños delante del televisor en blanco y negro con botellas de cola y bolsas de ganchitos con sabor a queso.

Ryan le cogió mucho cariño a Kenny, uno de los otros niños, que era bajito y con trastornos del habla y al que le apasionaba construir aviones en miniatura. Por la noche hablaban de lo que harían de mayores. Kenny quería ser piloto de coches de carreras.

Pero sólo estuvo con los Losey varios meses, porque desapareció misteriosamente y ya no se volvió a saber nada más de él. Ryan le escribió una carta, la primera que redactó en su vida, pero se quedó en la mesita del teléfono durante meses, acumulando polvo. La señora Losey le prometió que se la mandaría, pero nunca lo hizo y al final alguien la echó a la basura. Después de este incidente Ryan nunca volvió a cogerle cariño a ningún otro «hermano» de acogida. Apenas recordaba la larga lista de niños que desfilaron por esa casa, salvo que todos eran criaturas desdichadas con la boca manchada de naranja por comer una bolsa tras otra de ganchitos con sabor a queso, en vez de desayunar y almorzar como Dios manda.

Los tristes años pasados en el hogar de los Losey le condicionaron en la formación de su personalidad, creando una herida profunda que nunca llegó a cicatrizar. Ryan no soportaba hablar de las humillaciones sufridas en aquella casa de acogida, ni siquiera con un psicólogo. ¡No sabía ni cómo empezar! Pero aquellas privaciones le habían hecho muy ambicioso, quería triunfar a toda costa en la vida. Se prometió que jamás le debería nada a nadie, que obtendría la educación necesaria para ser siempre independiente y exitoso.

Intentó encerrar en un compartimento los traumas provocados por aquella familia de acogida, cerrar la puerta y tapiarla con un gran pedrusco. Pero aun así afloraban en los momentos más inoportunos. Los recuerdos eran tan dolorosos que le daban la sensación de ser un sueño o de haberle pasado a otro.

Ahora volvían a atormentarlo mientras circulaba por la carretera dirigiéndose al oeste, un viaje seguramente demasiado largo como para hacerlo solo. Había demasiados fantasmas viajando en el coche con él.

Recordó aquellas noches frías en las que no tenía bastantes mantas, las escasas raciones de comida que le provocaban un hambre tan atroz que ahora cuando estaba solo en casa abría la nevera y se metía en la boca lo que fuera —mayonesa, margarina, kétchup— para aplacar aquella sensación de vacío. Los azotes que el señor Losey podía darle con el cinturón en cualquier momento, por razones que nunca eran claras. ¿Qué había hecho él de malo? ¿Responder, hablar en voz alta, no hablar? Pero lo peor de todo era aquella horrible soledad, sentir que no tenía a nadie que le quisiera en ninguna parte ni un cuidador que le mirara con amor u orgullo.

Nunca se le ocurrió vengarse de los horribles Losey. Simplemente se alegró de no tener que verles nunca más cuando a los siete años de edad su madre llegó al cabo de cinco años, más ajada que antes, para llevárselo a casa como si sólo hubieran transcurrido cinco días.

«Creo que tenéis algo que me pertenece», fue todo cuanto le dijo a la señora Losey, y ésta soltó una risotada al oír el comentario.

Pero a esas alturas Ryan ya había aprendido a valerse por sí mismo, o al menos eso era lo que le gustaba decirse. Sacaba fuerzas de sus reservas interiores de ingeniosidad y ambición. Vivía en el mundo de los libros y se construyó un pequeño hogar en la biblioteca pública, donde leía cada volumen de la *Gran Enciclopedia Universal* y la *Enciclopedia Británica*, mirando las ilustraciones cuando las palabras eran demasiado complicadas para él.

Al regresar al nuevo apartamento de su madre se encontró con sus hermanos arrellanados cómodamente en el sofá, mirando un diminuto televisor a color como si nada hubiera pasado.

El segundo marido de su madre, Earl, y su hijo Scott, también vivían en el apartamento, una vivienda sin ascensor de tres plantas diseñada sólo para dos personas.

Una tarde memorable, mientras Ryan estaba en la sala de estar —donde dormía con Dave y Jim, sus hermanos— mirando dibujos animados, vio que Earl y

Scott iban a la cocina, donde su madre estaba lavando los platos.

Oyó que Earl le decía a su madre que se iban a pescar.

—¿Por qué no te llevas también a los chicos? —le pidió ella.

Su padrastro tomó un sorbo de agua y lanzó un suspiro.

—Ya te lo dije. No son mis hijos y no pienso criarlos.

—Tú nunca me dijiste tal cosa —protestó ella.

Earl se rió irritado. Era un tipo bajo, enjuto y nervudo con la piel curtida por el sol. Ryan no entendía por qué su madre se había casado con él.

—¡Claro que te lo dije! —replicó él—. Lo que pasa es que no me escuchaste, como de costumbre.

Ryan, mirando por la ventana, vio a Earl y Scott salir de la casa y cómo al cruzar la calle Scott cogía de la mano a su padre.

Fue a la cocina y se quedó plantado detrás de su madre, que seguía lavando los platos.

—¿Dónde está *nuestro* papá?

—Tú no tienes padre —le soltó ella.

—Biológicamente eso es imposible —afirmó él pese a su corta edad.

Dave también entró en la cocina. Era clavadito a Ryan, aunque con pecas.

—Sí, todo el mundo tiene un padre —terció Dave.

—Pues vosotros no lo tenéis.

—¿Papá está muerto? —preguntó Ryan.

Su madre siguió lavando los platos.

—Es como si lo estuviera —le soltó ella.

—Pero, mamá...

—¡No me preguntes más por tu padre! —le espetó furiosa—. Te saqué de la casa de acogida. ¿Es que no te basta? —añadió arrojando el estropajo al suelo, y dirigiéndose al dormitorio cerró la puerta de un portazo.

No, pensó Ryan. *No está muerto.*

Al volver a mirar por la ventana vio a Earl y Scott andando por la calle. Lo más triste era que incluso habría aceptado el afecto de Earl de tan desesperado que estaba. Aunque su madre les lavara el cuello y les abrochara la camisa, él ansiaba la amistad de una figura masculina, el apoyo y la atención de un padre. Nunca lo había tenido en la vida y lo necesitaba tanto como un nutriente.

Para poder salir de aquel ambiente Jim y Dave se pusieron a repartir periódicos y Ryan también hizo lo mismo cuando tuvo la edad requerida. Los tres evitaban quedarse en casa porque siempre estaba llena de gente y Earl era el que mandaba, con sus cambios de humor y sus ataques de rabia exacerbados por el alcohol. A los tres les daba miedo que su madre volviera a derrumbarse y que los mandaran de nuevo a un hogar de acogida. Al final de la adolescencia encontraron una buena razón para independizarse.

3

Mientras Ryan rememoraba estos dolorosos recuerdos de la infancia le invadió un sentimiento de culpa. Se puso a pensar en Logan y en todo lo que debería haber hecho estos últimos días. Pisó el acelerador del Honda y consultó el reloj. Si no hacía ninguna parada podría llegar a casa justo a tiempo para el cumpleaños de su hijo. Es decir, si lograba mantenerse despierto durante tanto tiempo.

Cuando el reloj marcaba las 05.15, el sol ya estaba empezando a despuntar. Era demasiado tarde para detenerse a descansar en un hotel y estaba tan lleno de adrenalina que sabía que aunque lo hiciera no lograría pegar ojo. Se dejó arrullar por la interminable carretera, por el café que se tomó en una estación de servicio, por el puro odio que salía de la radio de su coche, por las voces de blancos enfurecidos empleando términos como *indeseables, traición, conspiración...*, palabras que ignoraba que se siguieran usando hoy día.

Y siguió circulando, parando en áreas de servicio para comer galletas de queso con mantequilla de cacahuete, galletas recubiertas de yogur y un helado de vainilla recubierto de una capa de chocolate con la esperanza de que le recordara la infancia que jamás había tenido. Pero sólo se sintió hinchado y con dolor de estómago.

Mientras conducía pensó en su madre, que ahora vivía en las afueras de Dayton, en Ohio, y en la última vez que la vio, varios años antes, cuando por fin la convenció de que le dijera la verdad sobre su padre. Había ido a visitarla a la casa que compartía con Earl, quien, como era un camionero de trayectos de larga distancia, apenas paraba en casa. La salud de su madre se había deteriorado. Tenía problemas respiratorios y cardiacos. Le habían concedido la invalidez y se pasaba la mayor parte del tiempo tendida de lado en el sofá de la sala de estar mirando la tele.

—Me has estado preguntando por tu padre toda la vida, Ryan.

—Lo sé, pero ahora que tengo un hijo necesito saberlo.

—¿Por qué te importa tanto si ahora eres un profesor importante, un escritor conocido?

—No lo sé, mamá. Dime lo que ocurrió, por favor.

Ella tosió. Nunca había dejado de fumar y este hábito le había provocado una tos crónica y un semblante fantasmal. Su pelo rubio había encanecido y ahora lo llevaba recogido en un moñito. Era una sombra de la mujer que había sido.

—Pues te vas a llevar un buen chasco, hijo, porque no hay gran cosa más que contar. Tu padre nos abandonó y punto. Yo acababa de tenerte y estaba en el hospital, y tus dos hermanos se habían quedado en casa con una canguro. Cuando llegó la hora de volver, me llevaron en silla de ruedas a la entrada del hospital para que él nos viniera a recoger. Yo te llevaba en brazos. Pero tu padre nunca llegó. Ni nunca me llamó. Ya no volví a saber nada más de él. Estuve esperando en la calle, junto a la entrada del hospital, un par de horas hasta que una enfermera insistió en que volviéramos a entrar. No podía creer que me hubiera dejado plantada de ese modo. Y francamente aún no me lo puedo creer. Nunca nos mandó dinero. Eso es todo. Y punto.

—¿Os habíais peleado o había ocurrido algo?

—No.

—Debió de irse por alguna razón.

—¿Como cuál? —preguntó su madre.

—No lo sé. ¿Cómo volviste a casa?

—En taxi.

Así que en sus primeras horas de vida ya había experimentado el rechazo y la decepción. ¡Como para no estar lleno de rabia!

Ryan clavó la vista en sus manos.

—¿Comprendes ahora por qué no quería decírtelo? —le dijo su madre mirándole con cariño.

Eso fue lo que Sophie le había dicho, que se olvidara de los detalles. Pero era más difícil de lo que parecía.

Se detuvo en la siguiente estación de servicio para descansar un poco. Cuando estaba sentado en el coche frente a las máquinas expendedoras, pasó por su lado una mujer tan parecida a su esposa que sintió un nudo en la garganta de la emoción.

Se puso a pensar en Sophie, en cómo se habían conocido en una clase sobre Shakespeare el primer año de universidad y de la cuerda floja en la que se encontraba ahora su matrimonio. Hizo que de repente quisiera volver a casa lo antes posible.

Era el tipo de chica que nunca soñó que quisiera salir con él: una joven de buena familia que había pasado un semestre en un pueblo francés cuando iba al instituto, que tenía un coche deportivo azul y que llevaba pulseras de oro auténtico. El padre de Sophie era endocrinólogo, especialidad de la que Ryan nunca había oído hablar hasta entonces.

Un abismo separaba a ambas familias. Pero Sophie le confesó que por eso él le gustaba tanto, porque la necesitaba. Ella quería darle todo lo que le había faltado en la niñez. Él no pudo resistirse a sus encantos: desde el *coq au vin* que cocinaba hasta la fragancia que despedían sus chaquetas de ante. Al poco tiempo sintió que por fin había dado con la persona que se merecía.

Pero ahora cuando él la llamó, a una hora de camino de casa, sus sentimientos de cariño se esfumaron. Sophie estaba enojada con él y no sabía con certeza por qué.

—¡Si aún no son ni las seis de la madrugada, Ryan!

—Creí que ya estarías levantada —repuso con frialdad. ¿Por qué se ponía tan a la defensiva?

—En realidad ya me estaba preparando para la fiesta, pero podías haber despertado a Logan al llamarme.

—¡Oh, claro, la fiesta! Cómo me puedo haber olvidado de ella durante veinticinco segundos...

—No creo que sea demasiado pedir que estés en casa para el cumpleaños de tu hijo.

—Ya estoy de camino. He estado conduciendo durante horas para llegar a tiempo. ¿Qué problema hay?

—No sé…, es tu actitud. Parece como si estuvieras haciendo un gran sacrificio. Como si te pidiera que renunciaras a algo. Él también es tu hijo.

—¡Sophie, por el amor de Dios! Estoy agotado. Ni siquiera sé por qué estas enojada conmigo.

—Y Logan lo nota, créeme. Capta tus sentimientos, aunque tú no te des cuenta.

—No metas a Logan en esto —le soltó Ryan—. Te oigo muy mal —añadió, y luego colgó.

◊ ◊

Al final llegó antes de las siete de la mañana, incluso más pronto de lo que había planeado.

Vaciló antes de aparcar el coche frente a su casa y entrar. Le apetecía esperar una hora más, tomarse esta libertad de la que creía tener derecho.

Desde el primer día de vida de Logan, Ryan había intentado ser un buen padre, aunque no supiera exactamente en qué consistía. Además Sophie era un tanque de oxígeno al ser una madraza tan buena y habilidosa. Ryan carraspeaba o tarareaba ante un apuro, en cambio ella parecía saber lo que debía hacer en todo momento. Cogía a Logan en brazos cuando se echaba a llorar, le besaba para consolarlo y resolvía cualquier problema mientras Ryan estaba sopesando aún las opciones.

En cuanto su hijo nació, Ryan se desvivió para que no sufriera ningún daño. Hasta en el hospital le preocupaba que a la enfermera se le cayera de los brazos, que alguien lo reemplazara por el bebé equivocado, o que pillara una alergia incurable o una infección que afectara su desarrollo o que lo matara en el acto. Pero no se veía capaz más que de preocuparse inútilmente y de hacer enloquecer a Sophie —y al personal médico— con sus aprensiones.

Y a medida que Logan crecía, Ryan lo único que hacía era angustiarse incluso más aún por su hijo. Sabía que había un montón de cosas que podría haber hecho con él incluso cuando era pequeño, como ponerle cedés para bebés de música de Mozart, ofrecerle actividades que estimularan la coordinación manual y ayudarle a gatear y luego a andar. Y ahora que Logan estaba creciendo, Sophie quería que le enseñara a jugar a béisbol, a fútbol, a tenis..., deportes que Ryan nunca había practicado. En su lugar, ¿no podría hablarle sin tapujos de la virilidad y el sexo? Pero a Ryan se le daba mejor controlar el mundo exterior, un lugar aterrador lleno de carreteras peligrosas, venenos letales y tipos sospechosos que ace-

chaban en los centros comerciales, dispuestos a se-
cuestrar niños o abusar sexualmente de ellos.

—¿Has visto a ese tipo de la camisa azul? —le dijo
a Sophie durante una de las inusuales visitas del último mes al centro comercial—. Lleva plantado allí cinco minutos mirando a Logan. Creo que debería de-
nunciar a ese pervertido.

—¿A quién? ¿A la policía del pensamiento? ¡Si
sólo es un comprador más! Pero ¿qué diablos te pasa?

Ahora, a los nueve años, Logan parecía más dis-
tante que nunca, fascinado por su Nintendo DS y el
mundo electrónico de su móvil, un regalo con el que
Ryan no había estado de acuerdo, pero que Sophie le
había querido hacer por razones sociales. Logan apenas despegaba los ojos de los atrayentes videojuegos
que lo convertirían —a él y a su generación— en unos
analfabetos. ¿Cómo iba Ryan a atraer la atención de
su hijo para enseñarle cualquier cosa? Parecía algo
imposible. Por eso la mayoría de días ni siquiera lo
intentaba, se limitaba a sentarse a su lado durante
el desayuno, bebiendo café a sorbos mientras Logan
jugaba con el Nintendo DS en su regazo. ¿Acaso ser
padre no consistía también en estar sentado al lado
de tu hijo? ¿En simplemente *estar* ahí para él?

Aun así había momentos en los que Ryan se pre-
guntaba si no habría sido mejor llevar una vida de

soltero, escribiendo sus sesudos libros, tomando para cenar el menú especial en el restaurante del barrio y manteniendo aventuras con alumnas que lo idolatraban para romperlas antes de que llegaran a conocerlo bien. De esta manera nadie le insinuaría lo impresentable que era.

Al no ser marido ni padre, no tendría obligaciones, ni hipoteca, ni esa horrible presión en el pecho. Ahora en cambio no podría dejar nunca su trabajo si se hartaba de él, ni alquilar una cabaña y escribir durante un mes sin sentir que las obligaciones familiares se lo impedían.

Su padre había hecho lo que le había dado la gana, pero él *no* era como su padre, no tenía nada que ver con él, no cesaba de decirse.

Cuando su hijo abrió la puerta y salió afuera a recibirlo en pijama, lo arrancó de pronto de sus cavilaciones. Logan tenía la cabeza cubierta de ricitos leonados y una boca expresiva y enfurruñada.

De bebé su hijo se parecía a la familia de Ryan y éste se había pasado mucho tiempo intentando reconocer a quién le recordaba esa nueva carita, la mayoría eran parientes del lado de su madre, ya que conocía a muy pocos de la línea paterna. La frente de Logan era clavadita a la de su viejo tío Conway, el de la tienda de radiadores y los puros rancios. El perfil era como el de su hermano Dave, y su risa le recordaba a la de su tía Lucille, que hacía ya mucho que había fallecido —cuando Ryan nació ya era una anciana—, con su caniche enano y su afición por el coñac. Pero ahora que Logan había crecido, se parecía más a los parientes delgados y nervudos del lado de Sophie. ¿Y si Logan se volvía demasiado femenino, demasiado dulce?, se dijo preocupado.

—¡Papá, has vuelto!

—Claro que he vuelto —repuso Ryan sin poder evitar sonar un poco irritado por el comentario de su hijo. Al verlo ante él le invadió un sentimiento de culpabilidad y amor—. Ya le dije a mamá que llegaría a tiempo. ¿Que no te lo dijo?

Logan se quedó agarrado a su pierna durante un momento sin responderle. Al mirar a su hijo sintió una mezcla de emociones conflictivas. Como no había conocido el afecto de un padre, no estaba nunca seguro de si respondía como era debido.

Ryan había sido el que al principio quería tener hijos, en cambio Sophie deseaba antes llegar a ser artista y pintar en casa hasta ser conocida en las galerías de arte de la zona. Pero el veleidoso mundo del arte le hizo cambiar de opinión. Era demasiado competitivo y feroz. Se desencantó con el arte y se ilusionó con la idea de tener hijos.

«Se me da bien», le gustaba decir, y de hecho el parto fue rápido, y mientras las otras madres tenían un montón de problemas al dar el pecho a sus hijos, ella no tuvo ninguno. Después de diez años de matrimonio, era Sophie la que en la actualidad insistía en tener más hijos, pese a ser los dos cuarentones. Pero ahora era Ryan el que no lo veía claro.

A él le parecía que sus vidas como padres ya eran lo bastante caóticas como para complicarlas aún más con otro hijo. Sophie siempre le pedía que hiciera algo con Logan en el momento más inoportuno, cuando no tenía tiempo o ganas. ¿Por qué había de dejar el libro que estaba escribiendo para leerle un cuento a Logan a la hora de irse a la cama, peinarlo, o escuchar lo que había hecho en el colegio si Sophie estaba libre y dispuesta a ocuparse de él? Ahora se daba cuenta del tiempo que tomaba ser padre. Si lo permitías, te lo quitaba *todo*. Pero se había resistido con todas sus fuerzas a ser arrastrado por esta singular parte de su vida.

Por esta razón albergaba sentimientos encontrados respecto a tener otro hijo, a no ser que le garantizaran que sería una niña, ya que en este caso su hija seguramente lo adoraría y viceversa. Se imaginaba que una niña no le quitaría tanto tiempo y que sería más comunicativa y agradable. En cambio, la relación entre los hijos varones y los padres podía estropearse rápidamente sin tener idea de cómo o por qué ocurría.

Le puso la mano sobre la cabeza a su hijo, como si le bendijera.

—Ahora ya tienes nueve años. No me lo puedo creer.

—Los cumplí ayer —puntualizó Logan—. Hoy es la fiesta.

—¡Oh! —exclamó Ryan retirando la mano de la cabeza de su hijo y cogiendo el maletín.

Tal vez por eso Sophie estaba mosqueada. Se había olvidado del día en que su hijo había nacido.

—Entremos en casa. ¿Dónde está mamá?

—Haciendo crepes rellenos de jamón.

—Fenomenal.

En el interior de la casa soleada y espaciosa construida en la década de 1920 y renovada en la de 1980, Sophie se encontraba ante los fogones de la cocina. Incluso su espalda era expresiva, pensó Ryan. Su mujer, en el pórtico de los cuarenta, era rubia, con la cara angulosa y una figura esbelta. Llevaba una camiseta. Al volverse le lanzó con sus dulces ojazos oscuros una mirada llena de reproche y después le abrazó sin soltar la espátula.

Mitzi, la perra de la familia, una mezcla de golden

retriever y labrador, llegó a la zaga, meneando la larga cola. Era un miembro más del clan, la habían sacado del refugio canino y recibía más afecto que Ryan. Era patético estar celoso de un chucho, pero no podía evitarlo.

Todo cuanto *Mitzi* debía hacer era volver a casa, sentarse o ladrar para que Logan y Sophie se rieran encantados, la abrazaran y la vitorearan, en cambio cuando él regresaba a su hogar apenas le saludaban.

—No te lo comas, es para la perra —le dijo Sophie cuando iba a coger un trocito de jamón.

—¿Y para mí qué? Yo también tengo hambre.

—Si quieres, coge un trocito de pavo. Este jamón sin nitratos es para *Mitzi*, porque es alérgica.

—¡Vaya! ¿Y *yo* sí que puedo comer nitratos?

—Venga, Ryan. No te enfades por esta niñería. Además el pavo no le gusta.

—Y a mí tampoco —le espetó él saliendo de la cocina y dirigiéndose al estudio, donde enfurruñado se puso a deshacer la maleta.

Al final recibió lo que quería: Sophie le llevó una tostada con jamón preparada tal como a él le gustaba. Pero como no la acompañó con ninguna palabra cariñosa, él se mostró indiferente hasta que el teléfono sonó y su mujer se fue a atender la llamada. Ryan engulló entonces con fruición la tostada.

Mitzi entró en el estudio y se le quedó mirando de hito en hito, meneando la cola esperando que le diera un bocado. Al provenir de una perrera «donde los mandaban al otro mundo», como Logan solía decir, siempre tenían presente que de no haberla sacado de allí en aquel preciso momento la habrían sacrificado. Haberle salvado la vida en el último instante hacía que *Mitzi* fuera muchísimo más valiosa para ellos.

«¿Cómo ha podido alguien abandonarla?», se quejó Logan la primera vez que la vio en la perrera, rompiéndole el corazón a Ryan con la pregunta.

—Has vuelto antes de lo que me dijiste —le comentó Sophie cuando terminó de hablar por teléfono.

—Sí —contestó él titubeando—. Creí que te alegrarías.

—Claro que me alegro —replicó ella sin demasiado entusiasmo.

Los dos permanecieron en silencio un momento.

—¿Te alegras de haber ido? —le preguntó Sophie.

Ryan se encogió de hombros.

—Bueno, no le he visto.

—Pero viste a tu abuela.

—Sí, en un ataúd.

—Pues espero que haya valido la pena —le respondió ella con brusquedad—, porque como te puedes imaginar, estos tres días que he tenido que ocuparme sola de todo no han sido fáciles.

Ya empezaban otra vez. Ryan se lo había estado temiendo.

Hiciera lo que hiciera, siempre acababan peleándose.

4

Faltaban siete horas para que se celebrara la fiesta de cumpleaños, pero a Ryan le pareció una semana. ¡Cuántos preparativos requería! Inflar los globos, hornear el pastel y planear los juegos. Esconder los regalos, colgar los adornos de papel metálico, los lazos y las guirnaldas doradas. Era como si su hijo fuera una especie de príncipe.

Y todo cuanto Ryan deseaba hacer era encerrarse en el estudio y trabajar. Pero siempre que se sentaba para centrarse un poco, Sophie le interrumpía.

Le pidió que cambiara la bombona de gas de la cocina, que fuera a comprar más perritos calientes, que se ocupara de la máquina de hacer helados que no funcionaba. Él no había tenido ni una sola fiesta de cumpleaños en su infancia, en cambio Logan (y sus amigos) estaban tan consentidos que cada fiesta de cumpleaños era una celebración masiva que debía superar la anterior.

Desempeñó cada tarea mostrando sin tapujos a Sophie su irritación, aunque ella seguramente creía que su marido debía sacrificarse por los días que la había dejado sola con Logan, como si él se lo hubiera pasado de *maravilla* en el funeral.

Naturalmente, Sophie insistiría en que no se trataba sólo del funeral, que ahora Ryan pasaba mucho tiempo fuera de casa. Y a decir verdad, se pasaba una buena parte del año de viaje asistiendo a congresos y simposios. Le había dicho a su mujer que esos viajes frecuentes formarían parte de su vida conyugal. Después de todo, además de profesor era escritor. Si le invitaban a un congreso, un simposio o un debate, debía ir. Tenía que competir con colegas más jóvenes que podían participar en el circuito de charlas y asistir a cualquier congreso que quisieran. Para poder conservar su trabajo era importantísimo que él diera conferencias y publicara libros.

Y esto era lo que ahora estaba intentando hacer, acabar una ponencia sobre el crecimiento sostenible para presentarla de aquí a dos días en un congreso de San Francisco. El viaje para asistir al funeral de su abuela le había trastocado la agenda. Si no lograba presentar y publicar la ponencia, el jefe de su departamento le echaría un rapapolvo. Además del estrés de escribir, soportaba la carga de dar clases, pagar la hipoteca y devolver los préstamos que recibió para pagar la universidad, un montón de deudas que habían ido aumentando a lo largo de los años.

En el estudio había dentro de una maleta una docena de ejemplares de su último libro publicado, folletos y notas para la presentación. Junto a la maleta había un cartel recién impreso donde ponía:

DR. RYAN KILGORE, UNIVERSIDAD DE SAINT JOHN
Presentación de la ponencia, viernes a las 16.00
Presentación del taller, domingo a las 14.00

La luz roja de la impresora parpadeó de pronto, el papel se había atascado en el peor momento. Necesitaba una impresora nueva, pero Sophie insistía en ahorrar el dinero que les sobraba para la educación de Logan. Ryan tenía que conformarse con este modelo más antiguo para que su hijo pudiera ir a un colegio privado. Aporreó la impresora frustrado. En ese momento su mujer le llamó dando unos golpecitos en la ventana.

Fingió no verla. Cuando ella se giró, él alzó la vista. Un grupo de niños estaban jugando alrededor de la piscina que había en el patio trasero. Ryan la consideraba un pozo sin fondo de tragar dinero. Requería un constante mejunje de sustancias químicas que probablemente su hijo absorbía a través de la piel.

Había al menos una docena de niños apiñados alrededor de Logan riéndose a carcajadas mientras rociaban a *Mitzi* con la manguera. La perra, ladrando, mordía furiosamente el agua.

Mientras Ryan seguía peleándose con la impresora, descubrió un pedazo de papel atascado en el interior.

—¡Funciona de una vez! ¡Joder!

Sophie llamó a la ventana de nuevo.

—¿Qué quieres? —gritó.

—¿Podrías traernos más toallas?

Ryan pasó olímpicamente de ella.

—Sólo he impreso la mitad de las notas para los asistentes a la ponencia y esta estúpida impresora se ha estropeado. ¿Tocaste algo durante mi ausencia? ¿Cambiaste el cartucho de tinta?

Sophie puso cara larga.

—Nadie ha tocado tu maldita impresora, Ryan —le soltó con frialdad—. Tengo mejores cosas que hacer con mi tiempo. Por si lo has olvidado, hoy es el cumpleaños de tu hijo y si me echas una mano te lo agradeceré...

—Oye, te dije que llevaría en coche a los hijos de los Randall a su casa. Pero ahora tengo que acabar de imprimir estas notas, ¿de acuerdo? Me queda menos de una hora para enviar mi ponencia a la revista del congreso. Y si no lo hago a tiempo, no me la publicarán. Quieres que conserve mi trabajo, ¿no?

Se puso a trajinar por el estudio dando golpes a diestro y siniestro, como si Sophie tuviera la culpa.

—¿Crees que al menos tendrás tiempo para salir un segundo mientras Logan sopla las velas? —le preguntó ella.

—Sí, claro, avísame cuando sea el momento.

—De aquí a cinco minutos —contestó Sophie lacónicamente.

—Sí, cariño.

Ryan volvió a su ordenador e intentó imprimir las notas de nuevo, pero la luz roja de la impresora seguía parpadeando por el papel atascado.

De pronto *Mitzi* cruzó el pasillo trotando, se metió en el estudio empapada de agua y se tumbó delante del cartel de la presentación que Ryan había encargado hacer.

—¡*Mitzi*, sal de aquí!

La perra creyó que la llamaba y se levantó para acercarse a él.

—¡No, *Mitzi*!

Se quedó plantada mirándolo y empezó a sacudirse el agua.

—No, *Mitzi*. ¡No lo hagas!

La perra se sacudió con deleite, mojando el cartel de la presentación.

—¡Noooo! —gritó Ryan y luego lanzó un rosario de palabrotas. El cartel estaba ahora lleno de chorretes de tinta azul. Le dio unos azotes en el trasero a la perra, que le miró con ojos lastimosos cuando él la sacó agarrándola del collar para dejarla junto a la piscina.

Afuera, los niños enmudecieron de súbito al ver la puerta mosquitera abrirse y aparecer a Ryan.

—¡Logan! —gritó llamando a su hijo—. ¡Ven aquí ahora mismo!

El niño se acercó lentamente con el rostro demudado.

—¿Cómo es que la puerta mosquitera estaba abierta?

—No lo sé. Yo no la he abierto.

—No importa. Eres el responsable de que esté cerrada.

—Cariño, déjalo correr... —intervino Sophie, en el papel de la poli buena.

—No, *Mitzi* es su perra y llegamos a un acuerdo. ¿Cuál fue?

Logan, rojo como un tomate, se quedó plantado allí humillado ante sus amigos.

—Vigilar que la puerta mosquitera estuviera siempre cerrada —repuso en un hilo de voz.

—Ryan, es su cumpleaños —le recordó Sophie intentando zanjar el tema.

—¿Y qué tiene que ver eso? Tiene que saber lo que significa ser una persona responsable. Cumplir lo prometido. ¿Lo entiendes?

Logan dando media vuelta, se dirigió a la otra punta del jardín.

—Huyendo no resolverás nada, Logan.

Los niños, incómodos por la escena, se quedaron plantados en el jardín sin saber qué hacer.

Para Ryan no eran más que un puñado de mocosos malcriados, hijos de ejecutivos del mundo de las finanzas y de sus esposas trofeo, unas rubias platino con piernas largas y monovolúmenes que ocupaban dos plazas del aparcamiento. Estaba exagerando, pero no podía evitarlo. El padre de uno de ellos se dedicaba a especular con el precio futuro del petróleo, y seguro que no se trataba de nada bueno. Ryan quería que los amigos de Logan tuvieran padres concienciados socialmente, pero Sophie se reía de la idea. En el vecindario no parecía haber esa clase de gente.

Logan, plantado solo en la otra punta del jardín, agachó la cabeza dolido. Parecía a punto de romper a llorar.

Ryan se arrepintió de haber sido tan duro.

—Logan, ven. No hay para tanto.

—¡Te has pasado un montón, Ryan! —le espetó Sophie—. Venga, chicos, secaos que vamos a comer el pastel —gritó a los niños.

Después se giró hacia su marido, con el rostro ovalado imbuido de la fría ira con la que él se topaba tan a menudo últimamente. Estaba tan furiosa que ni siquiera le hacía falta abrir la boca.

—Si quieres, llevaré con el coche a los hijos de los Randall a su casa —sugirió él intentando hacer las paces.

—No. Ya lo haré yo, como todo lo demás.

—Oye, no soy tan malo. Sólo intentaba...

—Abajo, en la nevera, hay seis latas de cerveza —le interrumpió ella—. Por qué no vas a relajarte, ya que no pareces ser capaz de hacer nada más...

Se fue a consolar a Logan.

A él en cambio nadie le consolaba nunca; se quedó plantado allí un momento, sintiéndose como un auténtico monstruo. Pero también estaba resentido. ¿Por qué esperaban que además de sacar adelante a su familia fuera un padre perfecto?

◇ ◇

Bajó lentamente la escalera que conducía al oscuro sótano y encendió una luz. Pero en lugar de entrar en la habitación de siempre, se encontró con un bar iluminado con una luz mortecina.

Ahí abajo hacía frío y reinaba un silencio sepulcral, salvo por la canción de Johnny Cash sonando en una radiogramola iluminada, la parte con más luz del sótano, un modelo de la década de 1960 lleno de luces azules y rojas.

En el bar había un puñado de tipos grises sentados ante la barra con la espalda encorvada, bebiendo de botellines oscuros. Las figuras eran vagas, borrosas, como si estuvieran envueltas en una bruma y, sin embargo, el rostro de cada uno le resultaba vagamente familiar.

¿No era uno de ellos el cartero del barrio que murió hace años en un accidente de moto en la autopista? Ryan se acercó para verlo mejor. Y ese otro se parecía al hermano corpulento de la señora Losey, el conductor de la furgoneta de los helados en verano. A los niños les advertían que lo evitaran a toda costa. Cuanto más se acercaba Ryan a ellos, más borrosos se volvían sus rostros. En la otra punta del bar estaba sentado fumando un cigarrillo un hombre de más edad con un sombrero Stetson blanco raído. Era el único rostro que se volvió más tangible y nítido a medida que se acercaba a él. El corazón le latía con furia, era su padre con un aspecto mucho más envejecido que el de la foto.

Ryan cerró los ojos y volvió a abrirlos. ¿Estaba teniendo un ataque de apoplejía? ¿Una alucinación? ¿Un sueño lúcido? Decidió que tanto daba. Se acercó y se sentó al lado del hombre.

Un borroso camarero le sirvió una cerveza haciéndola deslizar por la barra. Ryan atrapó el botellín y bebió un trago. De pronto se descubrió hablando con su padre como si llevara haciéndolo toda la vida.

—Estoy intentando dar la talla —dijo—. Hacer lo que tú nunca hiciste. No soy perfecto, pero yo al menos, a diferencia de ti, ejerzo de cabeza de familia y asumo mis responsabilidades...

Le echó una mirada a su padre. El origen de todos sus problemas era este hombre con el rostro curtido y las mejillas hundidas sentado en silencio.

Robert le dio una calada al pitillo mirando al vacío, como si Ryan fuera invisible y no hubiera oído una sola palabra. Parecía estar ensimismado en sus propios pensamientos y muy lejos de allí.

—¿Sabes? No me parezco en nada a ti. En nada —prosiguió Ryan—. Yo no maltrato a las mujeres. Ni las golpeo. Ni las abandono cuando las cosas se ponen difíciles. Yo no eludo mis responsabilidades como un hijo de puta egoísta que conozco...

Su padre parecía totalmente ajeno a sus palabras y su presencia.

Pero cuando una camarera monísima pasó por su lado, Ryan advirtió que Robert le guiñó un ojo en plan ligón.

—¡Vaya! ¿Estás demasiado ocupado para charlar conmigo, pero tienes tiempo para ligar? ¿Vas a convertirla en tu próxima mujer para abandonarla como hiciste con mamá? ¿Es la siguiente que seducirás, usarás y tiranizarás? No has oído una palabra de lo que te he dicho, ¿verdad?

En un momento de pura rabia, Ryan derribó su cerveza de un manotazo. El líquido marrón espumoso se desparramó por la barra. Su padre seguía sin reaccionar, pero se puso serio al contemplar la cerveza deslizándose por la barra y rodeando su propio botellín.

Se levantó para irse, dejando un dólar sobre la barra.

Ryan se puso en pie y se encaró con él.

—¡Venga, di algo! ¡Dime algo, lo que sea!

Robert se arregló el sombrero y, dando media vuelta, se encaminó a las escaleras.

—¡No huyas! —gritó Ryan. Su rabia se convirtió en un ruego—. ¡Vuelve!

Robert se dirigió en silencio a las escaleras, con él a la zaga. Pero era como si los pies de Ryan estuvieran envueltos en cemento, porque sólo podía moverse a cámara lenta. Cuando estaba a punto de llegar a lo alto de las escaleras, su padre se volvió borroso y se desvaneció. Lo único que había ahora delante de Ryan eran la escoba y la fregona arrinconadas cerca de la puerta. Se detuvo y apoyó la cabeza contra la pared. ¿Qué le pasaba? ¿Se estaba volviendo loco?

Al entrar en la cocina, que ahora le pareció que estaba demasiado iluminada, se encontró a Sophie con una toalla en la mano.

—Los niños ya se han ido. Ya puedes volver a tu maldito estudio —le soltó.

Ryan no se atrevió a responderle por si acaso ella tampoco era real.

5

Aquella noche no podía dormir, no dejaba de pensar en la escena del sótano. ¿Por qué su padre se le había aparecido? ¿Por qué se había desvanecido en la nada? ¿Eran las alucinaciones signo de un trastorno cerebral? A lo mejor había sufrido una conmoción. ¿Se atrevería a decírselo a Sophie, o se preocuparía ella tanto que insistiría en que fuera a ver al médico enseguida?

—¿Qué te pasa? —murmuró su mujer—. Llevas horas removiéndote en la cama.

—No lo sé, estoy inquieto.

—¿Quieres hablar de ello? —le dijo en voz baja, frotándole la espalda.

—No.

Sophie enmudeció un momento.

—Pues entonces tómate una pastilla, porque no

me dejas dormir y mañana tengo muchas cosas que hacer.

Ryan se levantó, se tomó un somnífero y se tumbó en el sofá.

Le hubiera gustado contarle lo del viaje a Michigan, lo de los recuerdos y la extraña visión que había tenido de su padre, pero le daba miedo. La experiencia había sido demasiado estrambótica. Seguramente ella le diría que fuera a ver a un terapeuta.

Se planteó volver al dormitorio y abrazarla, normalmente era el mejor remedio para el insomnio, pero no quería molestarla de nuevo.

El sofá le producía picazón, incluso la sábana con la que lo había cubierto le picaba. Y encima al estar al lado de la habitación de su hijo, oía sus ronquiditos y gemidos, como si tuviera pesadillas. Seguramente le había echado a perder el día.

Se pasó toda la noche pensando en la extraña experiencia con Robert: en lo que podría ser y significar. E incluso en lo mal que había aprovechado su primera oportunidad de hablar con su padre —aunque fuera una fantasía— después de todos esos años. ¿Por qué no le había preguntado enseguida la razón por la que había abandonado a su familia? ¿Por qué no le había dicho cómo pensaba compensar a su madre por los años de sufrimiento y abandono?

Cuanto más pensaba en ello, más honda era su indignación y frustración. Debía haberle pegado un tortazo allí mismo, llevarlo a rastras a ver a Logan, debía...

Se quedó dormido sin querer.

◊　◊

Al día siguiente Ryan se levantó temprano y se preparó para partir de viaje. Se dirigió a la cocina, donde ya estaba Sophie, con su mirada fría y especial, fingiendo que todo iba bien. Pero la tensión entre ellos se palpaba en el aire.

—Buenos días —le saludó ella sin alzar la vista, sirviéndose una taza de café—. ¿Les pudiste enviar a los del congreso la ponencia a tiempo?

—Como no me han confirmado si la recibieron, ya lo averiguaré cuando llegue. Pero no pasa nada. De todos modos nadie lee esas revistas.

—¿Ah, sí? —dijo ella volviéndose hacia él—. Creía que para tu trabajo era muy importante que te la publicaran. ¿No fue por eso que ayer te comportaste como un tirano, humillando a tu hijo delante de sus amigos?

—Mira, Sophie, tal vez ayer me pasé un poco con Logan, me siento fatal...

—Tú siempre te sientes fatal, Ryan…, después —repuso Sophie—. Pero nosotros nos sentimos fatal cuando ocurre —añadió saliendo al pasillo y llamando a Logan—. ¡Venga, cielo, es hora de irnos!

Mientras Ryan estaba en la puerta cogiendo el equipaje, descubrió a Logan con la cabeza agachada, medio escondido tras la barandilla, en lo alto de la escalera. Parecía estar esperando que su padre se fuera para bajar.

A Ryan se le cayó el alma a los pies.

—Hola, colega. Ahora ya eres todo un hombrecito. Cuida de mamá mientras estoy fuera, ¿vale?

Logan no le respondió, ni siquiera le miró.

—Volveré pronto.

Siguió sin responderle.

Ryan salió de casa, dejando una tierra desconocida para adentrarse en otra.

Pese a pasarse media vida viajando, a Ryan todavía le fastidiaba cada inconveniente con el que se topaba en su viaje. La larga hora de trayecto en el tren que iba al aeropuerto transcurrió llena de hombres de negocios parlanchines hablando por el móvil, impidiéndole echar el sueñecito que tanto anhelaba. Al llegar al aeropuerto se encontró con colas interminables que avanzaban a paso de tortuga. Y cuando pasó por el control de seguridad, acabó detrás de una mujer india con un sari azul turquesa que provocó la alarma de los guardias, que se entretuvieron más de lo habitual al cachearla. Dentro del avión hacía un calor de mil demonios y el pasajero de al lado se había empapado de una colonia tan fuerte que, sumado a la incesante cháchara del tipo, hizo que a Ryan le entraran ganas de gritar. Al aterrizar, la empresa de alquiler de coches había perdido su número de reserva y le hizo esperar.

Se topó con un embotellamiento. El sol se reflejaba en el metal de centenares de coches detenidos por el atasco. Visto desde esta perspectiva, la ciudad de San Francisco, que tanta ilusión le hacía visitar, no se diferenciaba de las afueras de Nueva York, por cuyas carreteras circulaba él cada semana. Pero al menos allí tenía su propio coche. Al poner el aire acondicionado de su diminuto modelo, no salió ninguna ráfaga de aire frío. Ajustó la rejilla de ventilación y giró los botones, pero por lo visto el ventilador estaba estropeado.

Se tomó cada pega como una afrenta personal. Se le estaba empezando a grabar en la cara su creciente descontento por la vida que llevaba. Podía verlo en el espejo del baño cuando se lavaba el rostro por la mañana. Tenía los ojos entornados, los dientes apretados. Parecía siempre que se fuera a pelear con alguien en cualquier momento. Si no tomaba medidas pronto, acabaría pareciéndose a su abuela, con la infelicidad grabada en la cara.

Llegó al hotel donde se celebraba el congreso hecho polvo. Al entrar al vestíbulo vio un gran cartel de bienvenida: «CONGRESO SOBRE EL NUEVO PLANETA VERDE: ECOLOGÍA, DIVERSIDAD Y EL FUTURO DE LA TIERRA».

Un grupo de personas estaban charlando mientras se registraban en la recepción, cogiendo folletos con información. Ryan sintió una oleada de confianza al verlas. Al menos en este lugar la gente le apreciaba, él era alguien importante. Se puso las gafas para echarle un vistazo al programa. Descubrió que lo habían cambiado a otra sala mucho más pequeña. Se quedó estupefacto por la razón: Al Gore iba a dar una conferencia en el lugar y la hora que le habían asignado a él.

Al alzar la vista vio a Gore cruzar el vestíbulo e ir al encuentro del organizador del congreso.

Ryan se acercó a un joven que estaba anotando una lista.

—No sabía que Gore fuera a dar una conferencia.

El joven sonrió.

—Nadie lo sabía con certeza, fue una decisión de última hora.

Ryan frunció el ceño.

—Así que dará la charla a la misma hora que yo. Soy Ryan Kilgore. Le han ofrecido la sala más grande que me habían asignado, ¿verdad?

—Bueno, Al Gore atrae a mucha gente, es lógico que se la hayamos dado a él.

—¿Por qué no me lo han dicho antes?

—No supimos con seguridad que fuera a venir hasta ayer por la noche a última hora. Supongo que su agenda es imprevisible. ¡Al Gore es una celebridad! Nadie creyó que el cambio supusiera un problema.

—Pues lo es para mí.

El joven se volvió y se puso a hablar por el pinganillo, pasando olímpicamente de Ryan, que ahora, sulfurado, estaba rojo de rabia.

De repente desfilaron por su mente las afrentas de los últimos días: la perra, Sophie, Logan, las contrariedades del viaje, y todo para llegar a un congreso que tampoco le necesitaba.

Ryan estaba tan enfadado por el cambio de sala que no se lo podía sacar de la cabeza. Interrumpió al joven, que seguía hablando en voz baja por el pinganillo.

—¡No me lo puedo creer! ¿Quién va a venir a escuchar mi ponencia si Al Gore está aquí?

El joven esbozó una tensa sonrisa.

—No se preocupe, tendrá un montón de asistentes. Al Gore no le gusta a todo el mundo.

—Seguro que se equivoca. Muéstreme dónde me han puesto. Seguramente en un armario.

No lo habían metido en un armario, sino en la cafetería del personal con las máquinas expendedoras, la nevera que runruneaba y una voluntaria llamada Amber, una veinteañera morena y alegre que estaba preparando con entusiasmo una mesita con copias de la ponencia recién impresa de Ryan y el cartel de su libro sobre los mayorunas del Brasil.

Exhibida en esta sala deprimente, la cubierta del libro se veía más cutre que nunca, a sus ojos era como si proclamara a los cuatro vientos: *autopublicado*. Los organizadores habían rebajado el precio del libro a 5,95 dólares, un insulto para él, ya que el precio de coste le había salido por 8,95. El cartel estaba lleno de chorretes por culpa de la perra y parecía la obra de un aficionado, como si lo hubiera creado un niño.

—¿Cómo me van a encontrar aunque quieran? —murmuró Ryan—. Ni siquiera estoy en el edificio principal.

—No se preocupe —repuso Amber—. Los asistentes le encontrarán. Disponen de programas con encartes en los que se les indican los cambios efectuados en las salas. Y solamente será por hoy. Mañana podrá realizar el coloquio en el edificio principal.

—¿De qué me va a servir si nadie acude a mi ponencia?

Amber se echó a reír, como si la negatividad de Ryan fuera de lo más encantadora.

—Esta noche se celebra una fiesta privada en honor de Al Gore. Haré todo lo posible para que pueda asistir.

—¿No me han invitado? Creía que yo era el conferenciante principal.

—Están intentando limitar los asistentes a la fiesta, aunque es posible que yo pueda arreglarlo.

—¡Déjelo correr! De todos modos no tengo tiempo para ir. Este incidente es insultante y estúpido. Es mejor que Al Gore se mantenga lejos de mí, porque si me cruzo con él me va a oír.

Ryan cogió el cartel y el caballete y los colocó en la entrada de la sala. Pero en cuanto lo hizo, le rodearon varios tíos fornidos del personal de seguridad equipados con audífonos y pinganillos.

—Acompáñenos, señor —le ordenó el más grandullón.

—¿Por qué? Me estaba preparando para la presentación.

—Seguro que le esperarán.

—¡Oh, por el amor de Dios! —exclamó Ryan metiéndose con ellos en el ascensor para ir a la habitación de una planta superior.

—¿A qué viene todo esto?

—Nos han informado de que ha amenazado al señor Gore —le dijo el tipo más pequeño.

—Al Gore me ha quitado la sala donde yo iba a presentar la ponencia, eso es todo.

—¿Y qué piensa hacer al respecto?

—Nada, sólo estaba despotricando. Le tengo un gran respeto al señor Gore —respondió Ryan con la cara cada vez más roja y acalorada—. Créame, no fue más que un simple comentario.

—Esperemos que así sea, pero por si acaso no le vamos a sacar los ojos de encima. Que no se le olvide.

—De acuerdo, lo siento. De verdad. ¿Me puedo ir ya?

—Sí, adelante.

Ryan se metió a toda prisa en el ascensor, mirando el reloj de pulsera. Ya llegaba diez minutos tarde.

Un tipo calvo de rostro sereno cuyo aspecto le resultaba familiar se acercó a él.

—¿Usted es uno de los ponentes?

—Sí, así es —respondió Ryan pulsando el botón del ascensor de nuevo.

—¿Va a hacer una presentación?

—Sí —Ryan estaba aún muerto de vergüenza por que le hubieran acusado como si fuera un delincuente.

—¿De qué va a tratar? —insistió el tipo.

El ascensor llegó.

—Lo siento, se me ha hecho tarde —se disculpó Ryan. Se metió en el ascensor, y cuando las puertas se abrieron, se fue como una flecha a dar la charla.

—Lo siento, amigos, me he retrasado —dijo.

Contempló al grupito de gente reunido para escuchar su ponencia. Menos de veinte personas estaban dispersas por la sala ocupando apenas las sillas plegables que Amber había preparado. La joven hasta había dividido la sala con una cortina para que fuera más pequeña, de lo contrario los asistentes no habrían llegado a ocupar ni siquiera la cuarta parte.

Ryan, decepcionado, deseó que se lo tragara la tierra, como si hubiera descubierto a alguien tomando notas de su mísero éxito. La sensación de fracaso era abrumadora y parecía surgir de un lejano pasado. ¿De dónde le venía exactamente? ¿De cómo se sintió de niño al rellenar un formulario y tener que dejar el espacio del nombre de su padre en blanco? ¿De la butaca vacía de la tribuna cuando cantaba en el coro o tocaba el tambor, y cuando se graduó en el instituto y en la universidad? No le venía de nada que hubiera hecho, pero se lo tomaba como si así fuera.

Oyó un frufrú y al volverse y mirar a sus espaldas, vio revolotear la cortina violeta. Alguien había estado allí, pero ahora se había ido. Ryan estaba seguro de que era un hombre, aunque no sabría decir exactamente por qué.

¡Lo que me faltaba!, pensó. *Otra alucinación.*

En la pantalla del proyector de la sala apareció su presentación en PowerPoint. La primera diapositiva mostraba la imagen de la selva tropical mientras era arrasada con un niño mayoruna entristecido en primer plano.

Ryan siguió con su conferencia.

—Propongo que las soluciones más eficaces para nuestra situación actual podrían hallarse en el estudio de la sabiduría tradicional de las culturas indígenas primitivas del mundo que aún perduran, como los matis y los mayorunas de Brasil...

No tenía la menor idea de si alguno de los asistentes estaba interesado en lo que decía. Aunque no lo parecía. Una anciana estaba dando cabezadas como si estuviera medio dormida. Una pareja asiática daba la impresión de haberse colado en la conferencia por algún terrible error. Sobre todo el hombre, que jugueteaba sin cesar con un aparatito electrónico, que emitió de pronto un fuerte pitido.

Ryan hizo una pequeña pausa para lanzarle una mirada irritada al tipo, pero el asiático siguió jugueteando con el aparatito. Prosiguió hablando con energía, como si intentara convencer a la audiencia de la importancia del tema que trataba.

—Los aborígenes mantienen intuitivamente una relación armoniosa con la tierra. El mayor problema que afrontamos...

Se oyó el pitido de nuevo. Ahora el asiático estaba absorto enviando un mensaje de texto sin ni siquiera intentar ocultarlo. Su acompañante no parecía avergonzada lo más mínimo por su conducta.

Ryan siguió hablando cada vez más molesto.

—El problema más importante es que estas culturas están siendo aniquiladas tan deprisa como la selva tropical por una cultura corporativa en perpetua expansión dirigida por el estrato social dominante. Por un modo de pensar patriarcal obsesionado con el poder.

Al oír el siguiente pitido Ryan estalló.

—¡Si sigues jugueteando con el móvil, bajaré y te lo quitaré, maldita sea!

El asiático alzó la cabeza asombrado sin llegar a creérselo.

—¡Sí, estoy hablando contigo!

El tipo miró a la mujer sentada a su lado y le dijo algo en una lengua extranjera.

—Lo siento. Él no habla inglés.

—Si no entiendes el inglés, ¿qué diablos haces aquí?

Ryan intentó contenerse, pero le fue imposible.

—¿Por qué no vas a una conferencia en chino si la mía te aburre tanto?

—Somos japoneses —apuntó la mujer.

Una persona del público se aclaró la garganta. Otra se puso de pie. La presentación había llegado a su fin a juzgar por el consenso y la tácita apreciación de los asistentes acerca de que Ryan era un tipo inestable que seguramente había perdido la cabeza.

◊   ◊

Sentado con la espalda encorvada ante un vaso vacío en el fondo del bar del hotel, Ryan estaba intentando que el camarero reparara en él. Cada vez que éste se dirigía adonde él estaba, se detenía de pronto por un comentario de la camarera, una pelirroja con un vestido negro ajustado que pasaba por el lado de Ryan como si él no existiera. Frunció el ceño. ¿Por qué la gente creía que podía ignorarle? ¿Por la forma en que se comportaba, por su actitud? El camarero interrumpió sus reflexiones.

—Perdone por haberle hecho esperar —se disculpó inclinándose hacia él con complicidad—. Es que la chica es muy coqueta.

Ryan no hizo ningún comentario.

—Póngame una Pilsner. No, póngame dos.

—¿Las quiere las dos a la vez?

—Sí, así no volveré a interrumpir su ritual de apareamiento.

El camarero le lanzó una mirada asesina y le llevó los dos botellines. Mientras bebía una de las cervezas, la luz se volvió más tenue, pero nadie pareció advertirlo. De hecho, los otros clientes se difuminaron bajo la luz mortecina. Con todo, Ryan logró reconocerlos: el señor Marshall, el de los dientes desalineados y el peluquín pelirrojo. Su profesor del colegio de enseñanza secundaria. Randy no sé qué, el cartero rubio alemán que en la época navideña repartía el correo llevando un sombrero con cuernos de reno. Ryan creyó reconocerlos a todos, aunque se volvieran cada vez más borrosos. Sólo una cosa seguía conservando una nitidez perfecta: una manaza invadiendo el espacio de Ryan y quitándole la segunda cerveza. Era la mano de su padre. Al volverse lo vio sentado a su lado ante la barra.

Notó que el ambiente se enfriaba de nuevo. De pronto se oyó la canción de Johnny Cash flotando en el aire. Los otros clientes del bar se habían desdibujado, sus voces, ahora lejanas, eran imposibles de entender. Ryan cerró los ojos y volvió a abrirlos. Sintió el sabor de la cálida cerveza en su boca, el humo de los cigarrillos haciéndole escocer los ojos, el olor intenso y real a cebolla frita. Si se trataba de un sueño, era el más realista que había tenido jamás.

—¡Qué curioso que volvamos a encontrarnos! —observó Ryan, aunque no le hiciera ninguna gracia.

Su padre seguía sin hacerle caso. ¿Cómo era posible? ¿Qué clase de experiencia era ésta? Contempló a su padre masticando laboriosamente un cacahuete, tomándose un trago de cerveza y limpiándose luego los dientes con un palillo como si estuviera totalmente solo.

—Ignórame todo lo que quieras, porque no estoy interesado en ti —le soltó Ryan—. Yo no soy como tú. Tengo mis propios problemas.

Robert cogió una vela del bar y la usó para encender un cigarrillo.

—Por si no te has dado cuenta, estoy intentando hacer algo importante en mi vida —prosiguió Ryan—. Estoy intentando resolver los problemas que un troglodita como tú me creó al andar por ahí cargándotelo todo y destrozando a todas las personas que se cruzaban en tu camino.

Su padre siguió sin reaccionar. De pronto Ryan sucumbió al pánico. Todo lo que había planeado decirle se esfumó como el humo. No sabía lo que los otros clientes del bar pensaban porque de repente no había ninguno..., sólo habían quedado su padre y él atrapados en una especie de reino eterno lleno de humo.

—¿Por qué no dejas de seguirme de una vez? Eres un parásito. Lo infectas todo. Vuelve a Garnerville o dondequiera que hayas acabado. Déjame en paz.

A Robert le cambió de repente la cara como si por fin registrara las palabras de su hijo. Se quedó contemplando la vela y Ryan creyó por un instante que le iba a mirar.

Pero en ese momento, Amber, la empleada del congreso, se acercó a él sonriendo al tiempo que su padre se desvanecía de súbito.

—Hola, Ryan. Los organizadores del congreso lamentan tanto haberle cambiado de sala que han organizado un almuerzo para todos los conferenciantes. También asistirán a él algunos editores muy importantes que desean publicar libros como los suyos...

Ryan todavía estaba absorto en la experiencia que acababa de vivir.

—¡Oh, gracias! —replicó—. Pero no creo que pueda ir.

Amber se quedó desconcertada.

—Pero será una gran oportunidad para usted. El último año…

—Sí, muchas gracias, pero tengo algo importante que hacer —repuso él poniéndose en pie.

Subió al iluminado vestíbulo del hotel atestado de gente, y se dirigió a recepción.

—¿Podría ayudarme a encontrar un pueblo que está al norte de aquí? Creo que se llama Garnerville.

—Claro —le respondió el recepcionista. Lo buscó en el ordenador—. No encuentro ningún pueblo con este nombre, pero me sale uno llamado Guerneville. ¿Podría ser éste?

—Sí, creo que así es. ¿Dónde se encuentra? ¿Queda muy lejos de aquí?

—Está en el condado de Sonoma, cerca del río Russian. A unos ciento sesenta kilómetros de distancia.

6

A la mañana siguiente mientras Ryan conducía, hizo varias cosas a la vez, y todas distraídamente. Tomó un café con una mano, marcó un número en el móvil con la otra y cruzó con el coche de alquiler el puente Golden Gate dirigiéndose a la carretera 101.

Hizo todo esto toqueteando la rejilla del aire acondicionado. Al parecer alguien había metido dentro una tarjeta comercial.

Una voz con acento extranjero respondió a su llamada.

—Mi nombre es Brad. ¿En qué puedo ayudarle?

Si Ryan no estuviera tan cabreado, se habría reído en voz alta al oír el nombre falso.

—Sí, es la cuarta vez que les llamo y he hablado ya con cinco personas.

—¿En qué puedo ayudarle? ¿Aún no le han dado el coche de alquiler?

—No, ya estoy circulando. Y ya les he contado mi problema. Me han dado un coche nuevo, pero el aire acondicionado no funciona. Hace más de treinta grados y me estoy achicharrando.

—Lo siento mucho, señor —dijo Brad mientras le oía teclear en el ordenador—. ¿Me podría describir el problema con más precisión?

—¡El aire acondicionado no funciona! ¡Hay una tarjeta metida en las rejillas! Ya no puedo ser más preciso.

Cuando Brad le estaba sugiriendo que podía cambiar el coche por otro modelo, la llamada se cortó.

Ryan, fastidiado, arrojó el móvil al asiento del pasajero. Al hacerlo, el vehículo invadió por un instante el otro carril y estuvo a punto de chocar con un Prius que circulaba a su lado.

Siguió toqueteando las rejillas hasta sacar la tarjeta comercial rodeándola con los dedos.

En la tarjeta ponía: «HOSTAL CANDLELIGHT, SEBASTOPOL, CALIFORNIA». También aparecía una vela dibujada, una dirección y un número de teléfono. Al darle la vuelta, descubrió en el dorso un mapa del lugar donde se encontraba el hostal. Por fin funcionaba el aire acondicionado.

Mientras circulaba por las remotas regiones de los bosques de secoyas, pensó que le encantaba conducir solo, ya que le permitía reflexionar en lo que le estaba pasando. Se sentía como si estuviera viviendo algo muy intenso, seguramente se trataba de una experiencia espiritual. Nunca había sentido nada parecido. Jamás había creído en los sueños, la intuición ni la adivinación. Pero ahora se sentía como si todos los aspectos de su vida estuvieran chocando unos contra otros y no pudiera controlar cómo o cuándo le ocurría esta experiencia. Saltaba a la vista que había esferas que no conocía. Se sentía escamado, asustado y estremecido por ella. No se atrevía a contárselo a Sophie ni a ninguna otra persona, temía que, si lo hacía, su padre no volvería a aparecérsele nunca más.

Al final llegó a un cruce con un cartelito donde ponía: «BIENVENIDO A GUERNEVILLE, UNO DE LOS PUEBLOS MÁS PINTORESCOS DE ESTADOS UNIDOS».

Los edificios de ladrillo de finales del siglo XIX y la plaza del centro rodeada de flores y tableros de ajedrez al aire libre conferían al pueblo un ambiente agradable y acogedor.

Ryan aparcó el coche junto a un supermercado y localizó con la mirada la calle principal para averiguar dónde empezaría a buscar a su padre. Sus ojos se posaron en un bar, el Paradise Brewery.

Entró en el frío local, que estaba tan oscuro como un sótano y olía a cebolla frita. En el televisor adosado a la pared, por encima de la barra, se veía un partido de golf, pero sin volumen, aunque el propietario del bar no despegaba los ojos de la pantalla. Ryan vio varias familias almorzando y una pareja de gays tomando cerveza en la barra. Decidió sentarse en la barra. Un camarero con unas entradas muy marcadas lanzó un posavasos frente a él.

—¿Qué le pongo?

—Sólo he venido a preguntar una cosa.

—Pues puede preguntarme lo que quiera y de paso tomar algo, ¿verdad?

—De acuerdo, póngame un Ginger Ale.

El camarero le sirvió la lata plantándosela ante él.

—¿Qué le gustaría saber?

—Estoy buscando a alguien que creo que vive en Guerneville.

Ryan sacó la foto de su padre y el camarero se inclinó por encima de la barra para mirarla.

—Se llama Robert Kilgore. Es una foto muy antigua, ahora debe de tener setenta y cinco o setenta y seis años. Como le gusta beber, pensé que quizá...

El camarero le echó una ojeada a la foto y sacudió la cabeza.

—No le conozco. Pero este bar es más bien para

turistas. Los del pueblo van al Ray, el bar de la calle del Río, a la vuelta de la esquina.

Ryan se tomó el Ginger Ale, le dio una propina al camarero y luego recorrió andando dos manzanas hasta llegar al Ray, un edificio de hormigón ligero que parecería un almacén de no ser por la bandera americana y un cartel que anunciaba: «¡CADA HORA ES UNA HORA FELIZ!» En el aparcamiento sólo había dos motos.

Al entrar descubrió dos tipos con coletas sentados en el fondo del bar, con los pies encima de la mesa, mirando un partido de fútbol americano en la tele. Llevaban unos tejanos pitillo desteñidos, camisetas sin mangas que revelaban sus elaborados tatuajes y botas. Ryan se sintió intimidado con sólo mirarlos, era la clase de moteros que te podían acorralar en un callejón si te cogían manía. Intentó entrar sin achicarse y se concentró en hablarle al camarero, un sesentón apolillado que parecía tan agotado como él.

Asintió con la cabeza mientras Ryan hablaba.

—¿Alguno de los dos conocéis a un tipo llamado Robert Kilgore? —les preguntó el camarero a los hombres que miraban la tele—. Solía venir a este bar.

Uno de los moteros miró la foto y meneó la cabeza. El otro examinó a Ryan.

—¿Por qué lo buscas?

—Tenemos un asunto pendiente.

El motero soltó una amarga carcajada.

—Sí, me lo imagino. Me huele a problemas.

—¿Le conoces?

El hombre hizo caso omiso de la pregunta.

—¿Cómo era ese dicho budista? —le preguntó a su compañero—. ¿Te acuerdas de qué iba? De cavar dos tumbas, ¿verdad?

—Antes de vengarte, es mejor que caves dos tumbas. Pero no es un dicho budista, es taoísta.

—No, no es taoísta, es de Confucio —terció el camarero.

—No, es taoísta. Estoy seguro.

A Ryan este pueblo le parecía de lo más excéntrico. ¿Por qué unos moteros y un camarero estaban hablando de citas de filosofía oriental? ¿Y por qué uno de ellos había mencionado la venganza?

—¿Le conocéis o no? —preguntó algo exasperado.

—Lo siento, amigo. No te puedo ayudar.

Pero le conoce, pensó Ryan. *Seguro que le conoce.*

—Pregunta en el Rio Nido Roadhouse. Está al lado de la carretera ciento dieciséis —le gritó el camarero mientras Ryan se iba furioso del bar.

◇ ◇

El Rio Nido Roadhouse era un granero antiguo reformado que parecía sempiterno, como si lo hubieran conservado de una época bucólica. El gigantesco local con vigas en el techo estaba desierto, aún no había llegado ningún cliente. En un rincón giraba un ventilador industrial. De la cocina salía un aroma a café y pollo.

Ryan mostró la foto a la mujer, plantada en un podio como si fuera a ejecutar un solo en un bar vacío. Tenía ante ella una revista *People* abierta. Él leyó del revés que una actriz que no conocía había perdido casi cuarenta kilos. Se preguntó por qué alguien había escrito un artículo tan insustancial o por qué esa mujer estaba interesada en él.

Llevaba una chapa en la que se podía leer: «HOLA, SOY TAMI». Como la mayoría de mujeres que conocía, se desvivía por aparentar menos años de los que tenía, a Ryan le pareció que rondaba los sesenta.

Llevaba el pelo rubio recogido en un moño en la coronilla, aunque por los lados se le veía canoso, y la cara delgada y adusta embadurnada de maquillaje de color melocotón.

—Es un tipo muy atractivo —observó al examinar

la foto que Ryan le dio—. ¿Quién es? —preguntó alzando la vista.

—Mi padre. Es una foto muy antigua.

—Ya veo que os parecéis —dijo mirando la foto de nuevo—. Su cara me suena de haberla visto en alguna parte. ¿Tienes una foto más reciente?

—No, es la única que tengo. He oído decir que hace diez años, o tal vez menos, vivía en este pueblo con una mujer.

—En esa época yo ya estaba aquí. Seguramente debería acordarme de él, pero ahora ya no tengo tantas neuronas como antes —admitió echándose a reír.

Ryan advirtió que la mujer estaba bebiendo un líquido dorado de un vaso chato y que el aliento le olía ligeramente a whisky escocés.

Un tipo calvo con un delantal salió de la cocina, la miró, se dio media vuelta y volvió a meterse en la cocina.

—Si quieres, puedes quedarte un rato para ver si algún veterano se acuerda de él. Los clientes suelen venir a eso de las tres.

—Antes necesito ir a comer algo.

—Puedes comer aquí, la cocina ya está abierta. Tenemos un chile con carne buenísimo. Hasta nos han dado premios y todo por este plato.

Al principio Ryan no quería quedarse, pero al final aceptó la invitación. Se sentía agradecido con esta mujer por haber sido tan amable con él.

—Genial. Me encanta el chile con carne. Gracias.

—Pues siéntate y olvídate de todos tus problemas —le dijo Tami—. Como eres el único cliente podremos atenderte de maravilla.

Ryan se sentó en la mesa de un rincón y relajó los hombros. Tami le sirvió una cerveza y un bol humeante de chile con carne con un montón de cebolla, pimiento y queso.

Era el mejor chile con carne que había probado jamás. Al tomárselo mientras escuchaba hablar a Tami sintió un agradable calorcillo en el cuerpo. Por primera vez en mucho tiempo se sintió relajado.

—¿Llevas mucho tiempo trabajando aquí? —preguntó él.

—Sí, un montón de años.

—Supongo que debes de haber visto prácticamente todos los aspectos de la naturaleza humana.

—Es verdad, aunque he visto sobre todo el lado malo. Pero yo vengo de una familia pequeña muy unida. Todos nos apoyamos los unos a los otros en lo que sea.

Ryan tomó un sorbo de cerveza.

—Debe de ser maravilloso. Mi padre nos abandonó cuando yo nací, tal como lo oyes, estando aún mi madre en el hospital conmigo.

—¡Qué duro, qué duro! —exclamó Tami sorprendida—. No entiendo cómo un hombre puede hacer eso.

—Yo tampoco. Y mi madre las pasó moradas. Tenía tres hijos y no encontraba trabajo.

—¿Le mandó alguna vez dinero para mantenerlos?

Ryan sacudió la cabeza.

—No. Por eso mis hermanos y yo acabamos en casas de acogida. En distintas familias.

Tami le miró con auténtica empatía. De pronto se dio cuenta de que esto era lo que él quería, que alguien simplemente le prestara atención.

—¿Y nunca contactaste con tu padre? ¿No has sabido nada de él?

—En cuarenta y cinco años no me ha llamado ni una sola vez. Intenté localizarlo. Cuando terminé la universidad, me pasé dos años buscándolo, obtuve un mínimo de información, pero en general no fue más que una pérdida de tiempo.

—¿Y tus hermanos? ¿Te han ayudado alguna vez a buscarlo?

—A diferencia de mí, nunca les ha interesado conocerle. Al ser mayores que yo guardan algunos recuerdos de él, aunque seguro que son unos recuerdos horribles. Yo en cambio he tenido que imaginarme a mi padre.

Llegó un cliente y Tami dejó de prestarle atención.

—Vuelvo enseguida.

Sentado allí tomando una cerveza, Ryan pensó que hacía años que no hablaba con sus hermanos por una visita que les hizo cuando tenía treinta años que le distanció mucho de ellos, cuando vio con claridad que era el único que no había podido superar los padecimientos de su niñez.

Varios años antes Ryan les animó a encontrarse en un restaurante de Pittsburgh, ciudad donde Jim se había establecido. Éste, ayudante de abogado, se había vuelto conservador y ahorrador. Un cristiano renacido que había tenido tres hijos antes de los treinta. Y Dave, también conservador, se había presentado para alcalde en un pueblo de Ohio. Era diácono de una iglesia y se había casado con una joven corpulenta con problemas para dar a luz. Comparado con ellos, él parecía de lo más liberal y Sophie una feminista sin pelos en la lengua.

Ryan les había sugerido que se reunieran para hablar de la niñez y cambiar impresiones sobre sus experiencias. Pero sus hermanos no estaban interesados en revivir el pasado. A decir verdad, parecían haber superado la mar de bien la experiencia de la casa de acogida y el abandono de su padre sin que apenas les afectara, en cambio para Ryan había supuesto un trauma psicológico enorme.

—Ryan —le dijo Jim—, Dave y yo no necesitamos seguir recordando aquellos años. Ahora llevamos una vida feliz. Y yo he encontrado en Jesús a mi «auténtico» padre. El resto no es más que un pasado que ya no significa nada.

Al oír estas palabras, Ryan se sintió profundamente traicionado. ¿Por qué sus hermanos no estaban tan resentidos con su padre como él?

—Sí. Todo el mundo tiene una infancia difícil —concluyó Dave resumiendo así sus sentimientos—. Mucha gente ha crecido sin un padre. ¿Por qué lo buscas, para que te dé una disculpa, una compensación?

Para vengarme, pensó Ryan, pero eso no se lo podía decir a ellos.

◊ ◊

Tami volvió y se sentó a su lado.

—En realidad vi a mi padre una vez —prosiguió Ryan como si ella no se hubiera ausentado—. De niño.

Fue después de que mi madre nos sacara de las casas de acogida. Se había vuelto a casar. En aquella época yo tenía siete años más o menos.

Hizo una pausa para ver si Tami seguía interesada.

—¿Qué pasó? —preguntó ella.

—Una noche estábamos jugando a fútbol con otros niños en la esquina de una calle. Mis hermanos se estaban pasando la pelota. Hacía calor y no queríamos estar en casa porque nuestro padrastro bebía como un cosaco cuando no trabajaba. Por lo visto le guardaba rencor a mi madre por habernos llevado de vuelta a casa. Como me daba miedo que volvieran a meterme en una casa de acogida, me mantenía bien lejos de él. Y seguía a mis hermanos a todos lados.

»Mi hermano mayor, Jim, lanzó la pelota con tanta fuerza que, pasando por encima de nuestras cabezas, rodó calle abajo. Fue corriendo adonde había ido a parar, en una alcantarilla junto a un viejo camión. Pero a medio camino se paró en seco, como si se hubiera quedado paralizado.

»Era la clase de camión que en aquellos tiempos se veía por las zonas rurales, antiguo y oxidado, lleno de abolladuras y golpes. El motor estaba al ralentí, despedía una humareda espesa y negra por el tubo de escape y por la ventanilla abierta salía humo de cigarrillo. Dentro había un tipo con un sombrero blanco. Nos había estado observando mientras jugábamos.

»Le pregunté a mi hermano qué le pasaba, pero no me respondió. Cuando me estaba acercando al camión, el tipo metió la primera y se largó. Jim dejó caer el balón y se fue corriendo tras él. "¡Eh!", gritó. Yo también me lancé a la zaga. Fui como un bólido para no quedarme atrás. No entendía lo que pasaba. Cuando por fin alcancé a mi hermano, me quedé jadeando un momento y luego le pregunté: "¿Quién era?"

»Jim me miró. Nunca olvidaré su cara. Estaba deshecho. "Era nuestro padre", repuso.

»Yo siempre había creído que nuestro padre era una especie de criatura mítica y no una persona de carne y hueso que pudiera salir pitando en un camión. Pero después de este incidente le conocí mejor. Quizá fue por eso que empecé mi búsqueda para encontrarlo.

Ryan dejó de hablar y Tami permaneció en silencio un momento.

—Si por fin le encuentras, ¿qué harás? —le preguntó ella.

—Francamente no lo sé. Creo que sólo necesito verle, oírle decir que lo siente, que me diga *algo*. Sea lo que sea lo que yo necesite, no puedo seguir así. Ya he perdido un montón de tiempo. Me siento como si mi vida se estuviera derrumbando. En este momento debería estar en San Francisco, en una comida de negocios, en lugar de seguir aquí.

»Me tengo que ir. No puedo quedarme aquí todo el día esperando a que venga gente —dijo Ryan mirando el reloj de pulsera.

—Al menos has encontrado un buen chile con carne. ¿Te ha gustado?

—Sí, estaba delicioso. Gracias, Tami, por escucharme.

—Que tengas buena suerte, cariño. Ya me dirás si lo acabas encontrando.

Ryan le cogió la mano y se la sostuvo un momento, ella le sonrió y entonces él se la soltó.

Mientras se dirigía a la puerta se sacó las llaves del coche del bolsillo, pero cuando estaba a punto de salir, se detuvo ante una pared cubierta de fotos antiguas.

Al echarles una ojeada el pulso se le aceleró. Sus ojos se posaron en una que le dejó helado. Mostraba un tipo borracho como una cuba posando en el bar con un sombrero blanco Stetson. Era su padre, con un aspecto más avejentado y demacrado que el de la foto que conservaba, rodeando con los brazos a dos chicas más jóvenes.

Cogió bruscamente la foto y se dirigió hacia Tami.

—No me lo puedo creer. Es mi padre.

Ella sostuvo la foto en alto, a contraluz, como si pudiera ser un billete falso de veinte dólares.

—¡Sí! Ahora me acuerdo de él. En tu foto no le había reconocido. Tenía un carácter de mil demonios, créeme. Aquí protagonizó varias peleas muy desagradables.

—No me sorprende. ¿Qué más recuerdas de él?

Tami señaló con el dedo una de las chicas de la foto.

—Ésta es Kitty. Es posible que en aquella época fuera su mujer, pero no lo sé con certeza. Todavía sigue viviendo cerca de aquí, así que si quieres hablar con ella...

Tami le indicó una tienda de artículos de segunda mano que quedaba a dos calles. Ryan le volvió a dar las gracias y, guardándose la foto en el bolsillo, salió del bar para ir hasta la tienda a pie. En el escaparate del destartalado establecimiento había expuestas varias prendas lujosas desgastadas: un vestido rojo de satén con lentejuelas en la parte de delante y un esmoquin blanco con solapas de la década de 1970. Al entrar Ryan se encontró con un fuerte olor a productos de limpiar en seco y a bolas de naftalina. La tienda no estaba sólo llena de ropa, sino también de zapatillas y juguetes de niños: muñecas y animales de peluche usados. No había ni un solo cliente.

Ryan vio a la propietaria antes de que ella le viera a él. La mujer, con las gafas colgando en la nariz, estaba leyendo un libro. Tenía la tez amarillenta y cubierta de arrugas, pero cuando alzó la vista para mirarle, Ryan reconoció a la chica de la foto.

—¿Es usted Kitty?

La mujer le miró con extrañeza, como si acabara de ver un fantasma.

—¿Qué quieres saber?

Ryan sacó la foto que se había llevado del restaurante y la sostuvo ante sus ojos.

—Creo que conoció a mi padre.

Kitty siguió mirándole mientras cogía la foto.

—Es Bob Kilgore —dijo en voz baja—. Era un gilipollas. Me cuesta imaginármelo como padre. —Contempló la foto un poco más—. Las mujeres lo encontraban muy atractivo y él se aprovechaba de ello. Te quitaba el dinero y luego hacía que desearas darle más.

—No quisiera entrometerme en su vida, pero usted y él...

—No —repuso devolviéndole la foto—. ¡De ninguna manera! Me mantuve bien lejos de esa serpiente. Pero Sandy estuvo con él a temporadas. Cuando vivía con Bob, él siempre andaba rodeado de mujeres, y como ella se ponía celosa, tenían unas broncas descomunales o como uno quiera llamarlas. Normalmente su vida consistía en beber alcohol y en recibir una paliza de Bob.

—Me lo imagino —dijo Ryan.

—Al final Bob se lo quitó todo y la dejó en un estado deplorable.

—¿Y qué fue de él? —preguntó de pronto Ryan poniéndose serio—. ¿Sabe dónde se encuentra mi padre?

—Supongo que en la cárcel... Lo siento.

Hubo una breve pausa.

Ella reflexionó un momento.

—Pensándolo bien, creo que lo vi hace años en una barbacoa en Monte Río.

—¿Dónde queda este pueblo?

—Cerca de aquí.

—¿Cuántos años hace de eso?

—Pues unos siete u ocho, o quizá menos. En aquella época ya estaba muy estropeado. Había perdido su encanto. Según parece, se fue a vivir con una viuda, no me acuerdo de su nombre. Era la propietaria de una casa victoriana situada al final de la calle Docker. He oído decir que ahora está abandonada, pero tal vez no sea verdad. A lo mejor él aún sigue viviendo allí. ¿Quieres que te indique cómo ir?

Ryan sintió que estaba a punto de dar con su padre. ¿Qué descubriría? ¿Cambiaría él al encontrarlo? ¿Debía dejarlo correr como Sophie le sugería a menudo? Su búsqueda era como una caja de Pandora y ahora estaba a punto de abrirla. Tragando saliva, se sacó un bolígrafo del bolsillo y la tarjeta del Hostal Candlelight.

—Sí, gracias.

7

Volvió a conducir, pero esta vez con una sensación muy distinta. El pavor y la rabia que sentía cuando buscaba a su padre estaban empezando a desaparecer, aunque no sabía con certeza por qué. Se sentía como si tuviera la respuesta delante de las narices, como si estuviera a punto de abrir una puerta secreta.

Tardó sólo veinte minutos en llegar a la ruinosa casa victoriana que parecía un pastel de boda desmoronado.

El lugar era como el escenario de una película de terror, con jardines asilvestrados, ventanas tapiadas y un ornamentado porche que se caía a trozos. El césped de la entrada estaba cubierto de alfombras desechadas, diarios y latas vacías.

Salió del coche y se dirigió a la puerta trasera. No estaba cerrada con llave y se abrió de par en par con sólo tocarla. Entró. La casa olía a animales montaraces y a excrementos apilados por todas partes. Por lo visto los mapaches o las ardillas la habían convertido en su morada. Pero también había sido habitada por seres humanos que la habían dejado cubierta de desechos horribles. En el suelo había frascos de cristal, pipas viejas, encendedores y un montón de botellas de whisky. *El típico antídoto para la desesperación rural*, pensó Ryan, crack, *cocaína y alcohol*.

Junto a la pared más lejana había un colchón manchado y varias mantas enredadas donde alguien había dormido. En el suelo, al lado del colchón, yacían un montón de revistas pornográficas enmohecidas, cabos de velas y colillas. Ryan rebuscó entre estos chismes para ver si encontraba algo. Cerca del colchón también había una pila de ropa húmeda y maloliente. El único objeto identificable que encontró fue un sombrero Stetson raído. Lo cogió, con el corazón en un puño y, sosteniéndolo por el ala, salió de la casa, bajando las escaleras de la parte trasera.

Un pastor alemán achacoso lo estaba observando desde un rincón. Se acercó a Ryan lentamente, meneando la cola con la cabeza agachada. Al llegar hasta él olisqueó el viejo sombrero mientras Ryan le acariciaba. Llevaba un collar deshilachado donde ponía

«Harry» y un número de teléfono que se había vuelto indescifrable. El perro le olisqueó el pie, como si reconociera un olor esencial en él.

—Hola, amigo. ¿Conocías a mi padre? —le preguntó Ryan.

El perro le miró con sus ojos apagados y meneó con más energía aún la cola. Era la mirada más elocuente de todas las que Ryan se había encontrado en los últimos días. Saltaba a la vista que este animalito había conocido y querido a su padre.

Él está cerca, pensó, era la primera vez que lo sentía con tanta certeza.

◇ ◇

Alejándose de la casa, Ryan se detuvo en medio de un puente para mirar en el móvil fotos de Logan y Sophie. Marcó el número de su mujer.

«Hola, has llamado al hogar de Ryan, Sophie, Logan y *Mitzi*. Si quieres, deja un mensaje», y a continuación se oyó el pitido del contestador.

—Hola, soy yo… No sé si estás en casa o no… Sólo llamaba para decirte… En realidad sólo llamaba para decirte otra vez que lo siento. Estoy harto de oírmelo decir. Y me imagino que tú también lo estás. Así que lo que te diré esta vez… es que llamaba para decirte que te quiero. Y que quiero a Logan más que nada en el mundo.

◇ ◇

Más tarde Ryan regresó al centro del pueblo y pasó por delante del cine Monte Carlo. La destartalada marquesina anunciaba con letras iluminadas medio fundidas: «*Los diez mandamientos*».

Frente al cine un tipo cuarentón sentado en una mecedora estaba tomando té helado y fumándose un pitillo.

Ryan dejó el coche en un aparcamiento próximo al cine. El tipo le saludó con una cordial inclinación de cabeza mientras él se dirigía al café de al lado, tenuemente iluminado. Se sentó junto a una ventana con vistas al río Russian.

El río, caudaloso y rápido, era famoso por los esturiones que se pescaban en él y las ricas tierras que lo bordeaban. Río abajo dos tipos en una barca estaban bregando con una rama atrapada en un bloque de granito y recogiendo un montón de desechos. A Ryan la escena le pareció tan fascinante que no oyó a la camarera, una venteañera menuda de pelo castaño y fino que se le acercó por detrás.

—Hola. ¿Qué le pongo?

Ryan la miró sobresaltado. Tenía un *piercing* en la nariz y el labio.

—Sólo quiero un café.

Sacó la foto de su padre y la dejó encima de la mesa.

En el río los tipos habían atado una cuerda alrededor de la rama y estaban intentando sacarla a la orilla.

La camarera le trajo el café.

—¿Es una foto del Vaquero? —le preguntó ella inclinándose por encima de su hombro.

—¿El Vaquero? —repitió Ryan sorprendido alzando la cabeza—. ¿Le conoces?

La joven se puso nerviosa.

—Bueno, se parece a una persona que...

—¡Sigue, sigue! ¿Vino a este bar? Dímelo, es muy importante para mí.

—¿Por qué es tan importante? —preguntó la camarera mirándole con un cierto recelo.

—Porque es mi padre, ¿vale? ¿Te parece poco?

—¡Lo siento! —se disculpó ella sonrojándose—. Tal vez debería hablar con mi jefe. Él conoce al Vaquero muy bien. Está aquí al lado.

El tipo que estaba sentado delante del cine entró en el bar y se sirvió té helado de la barra. La camarera le llamó.

—Éste es Andre —le dijo a Ryan.

Andre, un tipo con el pelo rizado y barba a juego mostraba una actitud cordial y jovial. Olía a tabaco y a colonia almizclada.

—¿En qué puedo ayudarte? —le preguntó.

Ryan le mostró la foto.

—¿Por casualidad conoces a este hombre? Se llama Robert Kilgore y es mi padre.

Mientras examinaba la foto Andre sonrió.

—Ahora entiendo por qué me sonaba tu cara —dijo—. Sí, le conozco. ¿Eres su hijo?

Ryan asintió con la cabeza.

—Encantado de conocerte —dijo Andre tendiéndole la mano.

—¿Sabes dónde puedo encontrarlo?

Andre se puso serio de pronto.

—Bueno, esto ya es otra historia —respondió mirando a la camarera.

—¿A qué te refieres?

—Salgamos fuera a charlar, pero primero llamaré a la *sheriff*…

Ryan no entendía por qué quería llamar a la *sheriff*, pero no se atrevió a preguntárselo. Siguió a Andre bajando un tramo de escaleras que llevaban a la calurosa y atestada cocina hasta llegar a un patio a cielo abierto.

—Vuelvo enseguida —dijo Andre.

Al regresar se sentó al lado de Ryan en una de las sillas del patio y lanzó un suspiro. Charlaron un poco sobre la zona antes de que Andre sacara el tema de su padre.

—Conocía a tu padre desde hacía muchos años. Pasó sus últimos días aquí.

—¿Sus últimos días? —repitió Ryan desconcertado, era como si a su cerebro le costara asimilar las palabras—. ¿Mi padre ha muerto?

—Sí, lo siento mucho —respondió Andre, y por la cara que puso, Ryan vio que lo decía de corazón.

La *sheriff* dobló la esquina y se dirigió hacia ellos. Era evidente que Andre ya la había puesto al corriente.

—Creo que he encontrado algo sobre Robert Kilgore —dijo ella consultando un documento—. Es una copia del certificado de defunción. Murió el ocho de agosto de 2007, en el hospital Kaiser Permanente, en Santa Rosa. De cirrosis hepática.

Ryan se quedó en silencio un momento. ¿Qué había esperado? Algo muy distinto. En todas las escenas que se había imaginado, su padre siempre era alguien a quien él rechazaba, aceptaba o ignoraba. Una voz. Una presencia. Siempre había pensado que lo encontraría vivo.

—¿Reconoció tener algún hijo a su cargo?

—Sí. De hecho aquí pone que fue su última voluntad. Quiso escribir él mismo sus nombres. Dave, Jim y Ryan.

—Gracias —dijo Ryan.

Tras darle esta información, la *sheriff* se fue.

—¿Podrías contarme todo lo que sabes de mi padre? —le pidió a Andre.

—No faltaba más —repuso recostándose en la silla—. Le llamábamos el Vaquero por su sombrero y porque le encantaban los *westerns*. Las películas de John Wayne. John Wayne era su actor preferido. Robert andaba más pelado que una rata, pero nosotros siempre le dábamos de comer. Era mejor que verlo hurgar en el contenedor. Decía que me pagaría en cuanto ocurriera esto o aquello. Tenía mucho orgullo. Pero era evidente que las cosas no le iban bien. Creo que Madeline, la señora con la que vivía en lo alto de la colina, le dejó en cuanto su salud empezó a empeorar. Debió de ser muy duro para él. Pero decía que se lo merecía, aunque no sé a qué se refería. Siempre fue un bebedor empedernido. Supongo que ya lo debes saber.

Ryan asintió con la cabeza.

—Siempre decía que planeaba mudarse a la Costa Este —prosiguió Andre—. Decía que allí tenía familia, pero yo sabía que no iba a ir, porque su salud no era buena y además no tenía dinero. Y en 2007 desapareció un par de meses. Y de pronto una mañana volvió muy demacrado. Tenía un aspecto horrible. Estaba pálido, delgado, apenas podía andar y me pidió si podía sentarse en el cine un rato. Estar en él sin más. Aquel día hacía mucha humedad y como el aire acondicionado funcionaba de maravilla accedí. Estuvo sentado en una butaca del cine todo el día, hasta que a la hora de cerrar... —Andre agachó la cabeza—. Y entonces Teresa, nuestra camarera, llamó a la ambulancia.

—Me gustaría ver el cine. ¿Es posible? —le pidió Ryan después de hacer una pausa.

—Claro. Sígueme.

El interior era como el de los cines de antes, con butacas de terciopelo rojo y alfombras desgastadas con rosas como motivo.

—Me gustaría sentarme en él un momento, si no te importa.

—Claro que no —repuso Andre—. Volveré a buscarte dentro de un rato.

Andre enfiló el pasillo y salió cerrando la pesada puerta. El cine quedó envuelto en la penumbra. Ryan lo tenía todo entero para él, y saboreó el silencio pensando que éste era el lugar donde su padre había pasado sus últimos momentos conscientes.

◇ ◇

Una hora más tarde Ryan se encontraba en el puente contemplando el río Russian. No estaba seguro de lo que había hecho a lo largo de la hora anterior. Recordaba haber paseado por la calle principal y quedarse contemplando un escaparate. Sentir que debía llamar a alguien, mirar el móvil y volvérselo a guardar en el bolsillo. Sólo le apetecía andar y aquí es donde había ido a parar.

Río abajo, los dos tipos de la barca habían sacado la rama por fin y recogido los desechos de las rocas. Ahora estaban en la orilla metiendo la basura en bolsas grandes de plástico.

Andre fue al encuentro de Ryan.

—La *sheriff* y yo hemos averiguado dónde está enterrado tu padre, por si te interesa.

—¿Dónde?

—Cerca de Sebastopol. En realidad no es un cementerio, sino más bien un campo donde entierran a las personas sin familia.

—¿Te refieres a los indigentes?

Andre asintió con la cabeza.

—Queda en la carretera Bohemia. Detrás de un hostal que acaban de abrir. Se llama Candlelight. Si quieres te puedo indicar cómo ir.

Ryan reflexionó un instante y luego sacudió la cabeza.

—No. De momento no iré. Gracias por tu ayuda.

—De nada. Que tengas buena suerte.

Ryan dio media vuelta y empezó a andar hacia el aparcamiento. Pero tras recorrer unos metros, se paró en seco como si hubiera caído en algo.

—¿Cómo me has dicho que se llama el hostal? —preguntó girando sólo la cabeza, sin volverse.

—Candlelight.

Ryan se sacó del bolsillo la tarjeta que había encontrado entre las rejillas del aire acondicionado del coche.

—¿Quieres que te dé la dirección? —preguntó Andre.

—No, gracias. Ya la tengo.

◊ ◊

Ryan llegó al hostal a última hora de la tarde. Bajó del coche y se acercó al edificio de estilo mediterráneo con el tejado de pizarra, pintado de amarillo y blanco. Al llamar a la puerta salió a recibirle una pareja joven vestida de manera informal. Eran cordiales y respondieron gustosos a sus preguntas al saber que había ido a visitar la tumba de su padre. La chica le llevó hasta los lindes del campo y le indicó dónde encontrar las sepulturas.

Ryan, acostumbrado a andar, cruzó a paso ligero un prado cubierto de flores silvestres y de hierba meciéndose, envuelto por el misterioso canto de los saltamontes. Le vino a la memoria que alguien le había dicho una vez que los machos se transformaban en instrumentos musicales para poder cantar.

Al cabo de poco se encontraba ante la pendiente de una colina rodeada de robles blancos centenarios. Siguió bajando por la ladera. Era un día de otoño cálido y soleado. Un pajarito con el pecho naranja voló sobre su cabeza. Un insecto irisado de color azul se posó en su brazo. Una nube de mariposas azules y amarillas revoloteó sobre un charco cubierto de barro. Nunca la naturaleza le había parecido tan viva o alineada con quien él era como ahora.

Echó a andar por la extensión llena de cruces de madera y, al girar a la izquierda, se adentró en un área donde las tumbas estaban a ras del suelo, ocultas algunas por los hierbajos y la maleza. Estuvo a punto de no ver la lápida con el nombre de su padre: «ROBERT

LYLE KILGORE, 1939-2007». Se quedó plantado en silencio, mirando fijamente la tumba con una sensación de irrealidad. Había querido encontrar a su padre toda la vida, pero por alguna razón siempre había creído que su padre no se moriría hasta reunirse con él, hasta que los dos hubieran zanjado el mutuo resentimiento que se profesaban.

—Te he odiado toda mi vida —dijo con los ojos clavados en la lápida—. He estado acarreando esta rabia todos estos años, haciendo sufrir a las personas de mi alrededor por tu culpa —hizo una pausa, intentando contener su dolor—. Papá, yo sólo quería...

Ryan rompió a llorar.

Al abrir los ojos vio a su padre en medio de la explanada, sentado en una roca, de cara al oeste, mirando sus botas de vaquero. Se veía más deteriorado y maltrecho que nunca, pero su rostro curtido desprendía una especie de elegancia. En el perfil de su padre, Ryan no vio a ningún monstruo, sólo otra versión de sí mismo.

—Papá, ahora te veo de verdad. Me doy cuenta de quién eres realmente. No eres un enemigo, sino mi maestro. A partir de ahora sólo sentiré amor hacia ti. Sólo amor.

Robert le escuchó sin moverse. Pero giró lentamente la cara hacia su hijo y por primera vez le miró a los ojos. Los ojos de su padre también eran azules —Ryan no había caído en ello— y le brillaban anegados de lágrimas. No fue gran cosa, pero a él le bastó.

Un vientecillo agitó los árboles meciendo las hojas, y de pronto el padre de Ryan se desvaneció.

8

Ryan, de vuelta a San Francisco, se encontraba ahora en la sala de conferencias corrigiendo con un rotulador rojo lo que ponía en el cartel de su conferencia:

CURAR
Cómo ~~estamos destruyendo~~ la diversidad
de nuestro planeta

Junto a la entrada de la sala, un grupo de gente charlando y tomando café estaba esperando para asistir al coloquio. El profesor universitario alto y calvo con el que Ryan había hablado en el ascensor echó un vistazo al programa, advirtiendo la corrección hecha con rotulador rojo, antes de entrar en la sala de conferencias.

Amber, la voluntaria del congreso, ayudó a Ryan a entregar ejemplares de su libro a los asistentes.

—¿Me estás regalando este libro? Porque aquí pone que vale 14,95 dólares —preguntó sorprendido uno de ellos.

—Sí, porque es la única manera de asegurarme de que lo leáis —contestó Ryan sonriendo.

Varias personas se rieron, mirando el libro con curiosidad y dándole la vuelta para leer la contraportada.

Ryan se mezcló con los asistentes en lugar de sentarse alejado de ellos. Se le veía relajado y a gusto. Bromeó y habló como si charlara en lugar de estar dando una conferencia. En vez de llevar la chaqueta de pana habitual, hoy prefirió ponerse una camiseta y unos tejanos.

—El método moderno para comunicar una idea importante suele ser muy sencillo —explicó—. Nos gusta emplear hechos y cifras, el enfoque analítico. Pero al estudiar las culturas aborígenes más antiguas, como las de los matis y los mayorunas, he observado que pocas veces transmiten ideas importantes de esta forma.

El tipo calvo de pie en el fondo de la sala, le estaba escuchando atentamente. Sacó un bolígrafo y se puso a tomar notas.

—La sabiduría verdadera, las ideas auténticas que pueden ayudarnos a resolver muchos de los dilemas ecológicos actuales, existe ya en estas culturas más antiguas, pero la comunican indirectamente valiéndose de metáforas y relatos.

Amber levantó la mano.

—Profesor Kilgore, ¿podría ponernos un ejemplo?

—Claro. En una ocasión el jefe de los matis dijo algo que sólo ahora estoy empezando a entender. Dijo: «Nadie ha muerto nunca de la mordedura de una serpiente. Lo que nos mata es el veneno, la ponzoña que queda circulando en nuestro cuerpo después del mordisco. Este veneno nos acabará destruyendo a no ser que aprendamos a eliminarlo del organismo. O aún mejor, hasta que lo *asimilemos* y transmutemos en medicina lo que antes era tóxico.

»Si bien es una idea primitiva, es tan válida como otra muy evolucionada. Consiste en reconocer las cosas más dañinas de nuestra vida, las que nos han hecho padecer y sufrir más, y en encontrar el modo de transformarlas en nuestro mejor maestro para sacarles el mayor partido. Esto es lo que se supone que debemos hacer para el mundo que nos rodea. Y para nosotros mismos.»

◇ ◇

Al día siguiente Ryan descendió del taxi y cruzó el jardín de la entrada arrastrando la maleta, encaminándose a su casa. En la puerta colgaba un cartelito dándole la bienvenida. Logan estaba sentado con *Mitzi* en el césped esperando a su padre.

Plantada ante la ventana de la cocina, Sophie sonrió al ver a su marido agacharse para charlar y bromear con Logan. Ryan la entrevió detrás de la ventana y la saludó agitando ligeramente la mano. Pese a todo lo que habían pasado juntos, Sophie y Logan seguían con él, esperándole después de tantos años de continuas decepciones. En su corazón todavía estaban dispuestos a aceptarle. No podía creer la suerte que tenía.

Sophie salió para unirse a ellos en el jardín y le dio un largo abrazo a Ryan, ignorando el teléfono cuando sonó en el interior. Se activó el contestador.

«Hola, has llamado al hogar de Ryan, Sophie, Logan y *Mitzi*. Si quieres, deja un mensaje.»

«Sí, me gustaría hablar con el doctor Ryan Kilgore —dijo una voz—. Soy el doctor Wayne Dyer. Llamaba por la charla que dio ayer en el Congreso sobre el nuevo planeta verde en San Francisco. Sólo pude asistir a una parte del coloquio, pero me pareció muy interesante y creo que a mucha gente le podría interesar lo que usted tiene que decir. Llámeme para que podamos vernos...»

En el jardín, bajo las sombras, una figura con un sombrero Stetson escuchó el mensaje. En cuanto la llamada finalizó, se quedó titubeando un momento más y luego desapareció en el robledal que se alzaba, majestuoso y silencioso, detrás de la casa de Ryan.

Sobre los autores

El doctor Wayne W. Dyer, autor conocido internacionalmente y conferenciante en el campo del autodesarrollo, ha escrito más de treinta libros. Es el creador de numerosos programas en audio y vídeo y ha aparecido en miles de programas televisivos y radiofónicos. Sus libros: *Construye tu destino, La sabiduría de todos los tiempos, Hay una solución espiritual para cada problema,* y los superventas del *New York Times, Diez secretos para el éxito y la paz interior, El poder de la intención, Inspiración, Vive la sabiduría del Tao: cambia tus pensamientos y cambia tu vida, ¡Sin excusas!* y *Wishes Fulfilled* se han presentado en los programas especiales de la Televisión Pública Nacional.

Doctorado en Asesoramiento Pedagógico en la Universidad del estado de Wayne, ha sido profesor adjunto en la Universidad de Saint John de Nueva York.

www.DrWayneDyer.com

Lynn Lauber es autora de libros de ficción y de no ficción, profesora y colaboradora literaria. Ha publicado tres obras suyas en la editorial W. W. Norton & Co., y también ha colaborado en numerosas ocasiones con otros autores. Se especializa en libros de ficción, narrativa personal y autosuperación. Sus ensayos han aparecido en *The New York Times*. Ha editado versiones de audiolibros de autores de renombre como John Updike, Oliver Sacks, Oprah Winfrey y Gore Vidal.

Visítala en: www.lynnlauber.com